Nos domínios
da mediunidade

Francisco Cândido Xavier

Nos domínios da mediunidade

Pelo Espírito
André Luiz

Copyright © 1955 by
FEDERAÇÃO ESPÍRITA BRASILEIRA – FEB

36ª edição – 18ª impressão – 4,5 mil exemplares – 6/2025

ISBN 978-85-7328-943-5

Todos os direitos reservados. Nenhuma parte desta publicação pode ser reproduzida, armazenada ou transmitida, total ou parcialmente, por quaisquer métodos ou processos, sem autorização do detentor do *copyright*.

FEDERAÇÃO ESPÍRITA BRASILEIRA – FEB
SGAN 603 – Conjunto F – Avenida L2 Norte
70830-106 – Brasília (DF) – Brasil
www.febeditora.com.br
editorial@febnet.org.br
+55 61 2101 6161

Pedidos de livros à FEB
Comercial
Tel.: (61) 2101 6161 – comercial@febnet.org.br

Adquirindo esta obra, você está colaborando com as ações de assistência e promoção social da FEB e com o Movimento Espírita na divulgação do Evangelho de Jesus à luz do Espiritismo.

Dados Internacionais de Catalogação na Publicação (CIP)
(Federação Espírita Brasileira – Biblioteca de Obras Raras)

L953d	Luiz, André (Espírito)

Nos domínios da mediunidade / pelo Espírito André Luiz; [psicografado por] Francisco Cândido Xavier. – 36. ed. – 18. imp. – Brasília: FEB, 2025.

296 p.; 21 cm – (Coleção A vida no mundo espiritual; 8)

Inclui índice geral

ISBN 978-85-7328-943-5

1. Espiritismo. 2. Mediunidade. 3. Obras psicografadas. I. Xavier, Francisco Cândido, 1910–2002. II. Federação Espírita Brasileira. III. Título. IV. Coleção.

CDD 133.93
CDU 133.7
CDE 00.06.02

Sumário

Raios, ondas, médiuns, mentes.. 7
1 Estudando a mediunidade 11
2 O psicoscópio 19
3 Equipagem mediúnica 27
4 Ante o serviço 35
5 Assimilação de correntes mentais 43
6 Psicofonia consciente 51
7 Socorro espiritual 59
8 Psicofonia sonambúlica 67
9 Possessão 75
10 Sonambulismo torturado 85
11 Desdobramento em serviço 95
12 Clarividência e clariaudiência 105
13 Pensamento e mediunidade 115
14 Em serviço espiritual 125
15 Forças viciadas 135
16 Mandato mediúnico 145
17 Serviço de passes 159

18	Apontamentos à margem	169
19	Dominação telepática	177
20	Mediunidade e oração	187
21	Mediunidade no leito de morte	197
22	Emersão do passado	205
23	Fascinação	213
24	Luta expiatória	221
25	Em torno da fixação mental	229
26	Psicometria	235
27	Mediunidade transviada	245
28	Efeitos físicos	251
29	Anotações em serviço	265
30	Últimas páginas	273
	Índice geral	279

Raios, ondas, médiuns, mentes...

A Ciência do século XX, estudando a constituição da matéria, caminha de surpresa a surpresa, renovando aspectos de sua conceituação milenar.

Não obstante a teoria de Leucipo, o mentor de Demócrito, o qual, quase cinco séculos antes do Cristo, considerava todas as coisas formadas de partículas infinitesimais (átomos), em constante movimentação, a cultura clássica prosseguiu detida nos quatro princípios de Aristóteles, a água, a terra, o ar e o fogo, ou nos três elementos hipostáticos dos antigos alquimistas, o enxofre, o sal e o mercúrio, para explicar as múltiplas combinações no campo da forma.

No século XIX, Dalton concebe cientificamente a teoria corpuscular da matéria, e um maravilhoso período de investigações se inicia, por intermédio de inteligências respeitabilíssimas, renovando ideias e concepções em volta da chamada "partícula indivisível".

Extraordinárias descobertas descortinam novos e grandiosos horizontes aos conhecimentos humanos.

Crookes surpreende o estado radiante da matéria e estuda os raios catódicos.

Röntgen observa que radiações invisíveis atravessam o tubo de Crookes envolvido por uma caixa de papelão preto e conclui pela existência dos raios X.

Henri Becquerel, seduzido pelo assunto, experimenta o urânio, à procura de radiações do mesmo teor, e encontra motivos para novas indagações.

O casal Curie, intrigado com o enigma, analisa toneladas de pechblenda e detém o rádio.

Velhas afirmações científicas tremem nas bases.

Rutherford, à frente de larga turma de pioneiros, inicia preciosos estudos acerca da radioatividade.

O átomo sofre irresistível perseguição na fortaleza a que se acolhe e confia ao homem a solução de numerosos segredos.

E, desde o último quartel do século passado, a Terra se converteu num reino de ondas e raios, correntes e vibrações.

A eletricidade e o magnetismo, o movimento e a atração palpitam em tudo.

O estudo dos raios cósmicos evidencia as fantásticas energias espalhadas no universo, provendo os físicos de poderosíssimo instrumento para a investigação dos fenômenos atômicos e subatômicos.

Bohrs, Planck, Einstein erigem novas e grandiosas concepções.

O veículo carnal agora não é mais que um turbilhão eletrônico regido pela consciência.

Cada corpo tangível é um feixe de energia concentrada. A matéria é transformada em energia, e esta desaparece para dar lugar à matéria.

Químicos e físicos, geômetras e matemáticos, erguidos à condição de investigadores da verdade, são hoje, sem o desejarem, sacerdotes do Espírito, porque, como consequência de seus porfiados estudos, o materialismo e o ateísmo serão compelidos a desaparecer por falta de matéria, a base que lhes assegurava as especulações negativistas.

Os laboratórios são templos em que a inteligência é concitada ao serviço de Deus, e, ainda mesmo quando a cerebração se perverte, transitoriamente subornada pela hegemonia política, geradora de guerras, o progresso da Ciência, como conquista divina, permanece na exaltação do bem, rumo a glorioso porvir.

O futuro pertence ao Espírito!

E, meditando no amanhã da coletividade terrestre, André Luiz organizou estas ligeiras páginas acerca da mediunidade, compreendendo a importância, cada vez maior, do intercâmbio espiritual entre as criaturas.

Quanto mais avança na ascensão evolutiva, mais seguramente percebe o homem a inexistência da morte como cessação da vida.

E agora, mais que nunca, reconhece-se na posição de uma consciência retida entre forças e fluidos, provisoriamente aglutinados para fins educativos.

Compreende, pouco a pouco, que o túmulo é porta à renovação, como o berço é acesso à experiência, e observa que o seu estágio no planeta é uma viagem com destino às estações do progresso maior.

E, na grande romagem, todos somos instrumentos das forças com as quais estamos em sintonia. Todos somos médiuns, dentro do campo mental que nos é próprio, associando-nos às energias edificantes, se o nosso pensamento flui na direção da vida superior, ou às forças perturbadoras e deprimentes, se ainda nos escravizamos às sombras da vida primitivista ou torturada.

Cada criatura com os sentimentos que lhe caracterizam a vida íntima emite raios específicos e vive na onda espiritual com que se identifica.

Semelhantes verdades não permanecerão semiocultas em nossos santuários de fé. Irradiar-se-ão dos templos da Ciência como equações matemáticas.

E, enquanto variados aprendizes focalizam a mediunidade, estudando-a da Terra para o Céu, nosso amigo procura analisar-lhe a posição e os valores, do Céu para a Terra, colaborando na construção dos tempos novos.

Todavia, o que destacamos por mais alto em suas páginas é a necessidade do Cristo no coração e na consciência, para que não estejamos desorientados ao toque dos fenômenos.

Sem noção de responsabilidade, sem devoção à prática do bem, sem amor ao estudo e sem esforço perseverante em nosso próprio burilamento moral, é impraticável a peregrinação libertadora para os cimos da vida.

André Luiz é bastante claro para que nos alonguemos em qualquer consideração.

Cada médium com a sua mente.

Cada mente com os seus raios, personalizando observações e interpretações.

E, conforme os raios que arremessamos, erguer-se-nos-á o domicílio espiritual na onda de pensamentos a que nossas almas se afeiçoam.

Isso, em boa síntese, equivale ainda a repetir com Jesus:
— A cada qual segundo suas obras.

EMMANUEL
Pedro Leopoldo (MG), 3 de outubro de 1954.

1
Estudando a mediunidade

1.1   — Indubitavelmente — concordava o assistente Áulus — a mediunidade é problema dos mais sugestivos na atualidade do mundo. Aproxima-se o homem terreno da Era do Espírito, sob a luz da Religião cósmica do amor e da sabedoria e, decerto, precisa de cooperação, a fim de que se lhe habilite o entendimento.

O orientador, de feição nobre e simpática, recebera-nos, a pedido de Clarêncio, para um curso rápido de ciências mediúnicas. Especializara-se em trabalhos dessa natureza, consagrando-lhes muitos anos de abnegação. Era, por isso, dentre as relações do ministro, que se nos fizera patrono e condutor, um dos companheiros mais competentes no assunto.

Áulus nos acolhera com afabilidade e doçura.

Relacionando aflitivas questões da humanidade terrestre, pousava em nós o olhar firme e lúcido, não apenas com o interesse do irmão mais velho, mas também com a afetividade de um pai enternecido.

Hilário e eu não conseguíamos disfarçar a admiração.

1.2 Era um privilégio ouvi-lo discorrer sobre o tema que nos trazia até ali.

Aliavam-se nele substanciosa riqueza cultural e o mais entranhado patrimônio de amor, causando-nos satisfação em vê-lo reportar-se às necessidades humanas com o carinho do médico benevolente e sábio que desce à condição de enfermeiro para a alegria de ajudar e salvar.

Interessava-se pelas experimentações mediúnicas desde 1779, quando conhecera Mesmer, em Paris, no estudo das célebres proposições lançadas a público pelo famoso magnetizador. Reencarnando no início do século passado, apreciara, de perto, as realizações de Allan Kardec, na codificação do Espiritismo, e privara com Cahagnet e Balzac, com Théophile Gautier e Victor Hugo, acabando seus dias na França, depois de vários decênios consagrados à mediunidade e ao magnetismo, nos moldes científicos da Europa. No mundo espiritual, prosseguiu no mesmo rumo, observando e trabalhando em seu apostolado educativo. Dedicando-se agora à obra de espiritualização no Brasil, e isso há mais de trinta anos, comentava, otimista, as esperanças do novo campo de ação, dando-nos a conhecer a primorosa bagagem de memórias e experiências de que se fazia portador.

Maravilhados ao ouvi-lo, mal lhe respondíamos a essa ou àquela indagação.

Conhecíamos, sim — informamos, respeitosos, em dado momento —, alguns aspectos do intercâmbio espiritual; todavia, o nosso desejo era amealhar mais amplas noções do assunto, com a simplicidade possível. Em outras ocasiões, estudáramos ao de leve alguns fenômenos de psicografia, incorporação e materialização; no entanto, era isso muito pouco em face dos múltiplos serviços que a mediunidade encerra em si mesma.

O anfitrião, afável, aquiesceu em elucidar-nos.

1.3 Colaborava em diversos setores de trabalho e prodigalizar-nos-ia aquilo que considerava, com humildade, como "alguns apontamentos".

Para começar, convidou-nos a ouvir um amigo que falaria sobre mediunidade a pequeno grupo de aprendizes encarnados e desencarnados, e em cuja palavra reconhecia oportunidade e valor. Não nos fizemos de rogados ante a obsequiosa lembrança. E, porque não havia tempo a perder, seguimo-lo prestamente.

Em vasto recinto do Ministério das Comunicações, fomos apresentados ao instrutor Albério, que se dispunha a iniciar a palestra.

Tomamos lugar entre as dezenas de companheiros que o seguiam, atentos, em muda expectação.

Como tantos outros orientadores que eu conhecia, Albério assomou à tribuna, sem cerimônia, qual se nos fora simples irmão, conversando conosco em tom fraternal.

— Meus amigos — falou com segurança —, dando continuidade aos nossos estudos anteriores, precisamos considerar que a mente permanece na base de todos os fenômenos mediúnicos.

"Não ignoramos que o universo, a estender-se no Infinito, por milhões e milhões de sóis, é a exteriorização do pensamento divino, de cuja essência partilhamos, em nossa condição de raios conscientes da eterna Sabedoria, dentro do limite de nossa evolução espiritual.

"Da superestrutura dos astros à infraestrutura subatômica, tudo está mergulhado na substância viva da mente de Deus, como os peixes e as plantas da água estão contidos no oceano imenso.

"Filhos do Criador, dele herdamos a faculdade de criar e desenvolver, nutrir e transformar.

"Naturalmente circunscritos nas dimensões conceptuais em que nos encontramos, embora na insignificância de nossa posição comparada à glória dos Espíritos que já atingiram a angelitude, podemos arrojar de nós a energia atuante do próprio pensamento, estabelecendo, em torno de nossa individualidade, o ambiente psíquico que nos é particular.

1.4 "Cada mundo possui o campo de tensão eletromagnética que lhe é próprio, no teor de força gravítica em que se equilibra, e cada alma se envolve no círculo de forças vivas que lhe transpiram do 'hálito' mental, na esfera de criaturas a que se imana, em obediência às suas necessidades de ajuste ou crescimento para a imortalidade.

"Cada planeta revoluciona na órbita que lhe é assinalada pelas leis do equilíbrio, sem ultrapassar as linhas de gravitação que lhe dizem respeito, e cada consciência evolve no grupo espiritual a cuja movimentação se subordina.

"Somos, pois, vastíssimo conjunto de inteligências, sintonizadas no mesmo padrão vibratório de percepção, integrando um todo, constituído de alguns bilhões de seres, que formam por assim dizer a humanidade terrestre.

"Compondo, assim, apenas humilde família, no infinito concerto da vida cósmica, em que cada mundo guarda somente determinada família da humanidade universal, conhecemos, por enquanto, simplesmente as expressões da vida que nos fala mais de perto, limitados ao degrau de conhecimento que já escalamos.

"Dependendo dos nossos semelhantes, em nossa trajetória para a vanguarda evolutiva, à maneira dos mundos que se deslocam no Espaço, influenciados pelos astros que os cercam, agimos e reagimos uns sobre os outros, por intermédio da energia mental em que nos renovamos constantemente, criando, alimentando e destruindo formas e situações, paisagens e coisas, na estruturação dos nossos destinos.

"Nossa mente é, dessarte, um núcleo de forças inteligentes gerando plasma sutil que, a exteriorizar-se incessantemente de nós, oferece recursos de objetividade às figuras de nossa imaginação, sob o comando de nossos próprios desígnios.

1.5 "A ideia é um 'ser' organizado por nosso Espírito, a que o pensamento dá forma e ao qual a vontade imprime movimento e direção.

"Do conjunto de nossas ideias resulta a nossa própria existência."

O orador fez pequeno intervalo, que ninguém ousou interromper, e prosseguiu comentando:

— Segundo é fácil de concluir, todos os seres vivos respiram na onda de psiquismo dinâmico que lhes é peculiar, dentro das dimensões que lhes são características ou na frequência que lhes é própria. Esse psiquismo independe dos centros nervosos, uma vez que, fluindo da mente, é ele que condiciona todos os fenômenos da vida orgânica em si mesma.

"Examinando, pois, os valores anímicos como faculdades de comunicação entre os Espíritos, qualquer que seja o plano em que se encontrem, não podemos perder de vista o mundo mental do agente e do recipiente, porquanto, em qualquer posição mediúnica, a inteligência receptiva está sujeita às possibilidades e à coloração dos pensamentos em que vive, e a inteligência emissora jaz submetida aos limites e às interpretações dos pensamentos que é capaz de produzir.

"Um hotentote[1] desencarnado, comunicando-se com um sábio terrestre, ainda jungido ao envoltório físico, não lhe poderá oferecer notícias outras, além dos assuntos triviais em que se lhe desdobraram no mundo as experiências primitivistas, e um sábio, sem o indumento carnal, entrando em relação com o hotentote, ainda colado ao seu *habitat* africano, não conseguirá facultar-lhe cooperação imediata senão no trabalho embrionário em que se lhe encravam os interesses mentais, como sejam o auxílio a um rebanho bovino ou a cura de males do corpo denso.

---

[1] N.E.: Denominação atribuída pelos holandeses a um povo pastor e nômade do sudoeste da África.

Por isso mesmo, o hotentote não se sentiria feliz na companhia do sábio, e o sábio, a seu turno, não se demoraria com o hotentote, por falta desse alimento quase imponderável a que podemos chamar 'vibrações compensadas'.

"É da Lei que nossas maiores alegrias sejam recolhidas ao contato daqueles que, compreendendo-nos, permutam conosco valores mentais de qualidades idênticas aos nossos, assim como as árvores oferecem maior coeficiente de produção se colocadas entre companheiras da mesma espécie, com as quais trocam seus princípios germinativos. **1.6**

"Em mediunidade, portanto, não podemos olvidar o problema da sintonia.

"Atraímos os Espíritos que se afinam conosco, tanto quanto somos por eles atraídos; e se é verdade que cada um de nós somente pode dar conforme o que tem, é indiscutível que cada um recebe de acordo com aquilo que dá.

"Achando-se a mente na base de todas as manifestações mediúnicas, quaisquer que sejam os característicos em que se expressem, é imprescindível enriquecer o pensamento, incorporando-lhe os tesouros morais e culturais, os únicos que nos possibilitam fixar a luz que jorra para nós das esferas mais altas, por meio dos gênios da sabedoria e do amor que supervisionam nossas experiências.

"Procederam acertadamente aqueles que compararam nosso mundo mental a um espelho.

"Refletimos as imagens que nos cercam e arremessamos na direção dos outros as imagens que criamos.

"E, como não podemos fugir ao imperativo da atração, somente retrataremos a claridade e a beleza se instalarmos a beleza e a claridade no espelho de nossa vida íntima.

"Os reflexos mentais, segundo a sua natureza, favorecem-nos a estagnação ou nos impulsionam a jornada para a frente, porque cada criatura humana vive no céu ou no inferno que edificou para si mesma, nas reentrâncias do coração e da consciência, independentemente do corpo físico, porque, observando a vida em sua essência de eternidade gloriosa, a morte vale apenas como transição entre dois tipos da mesma experiência, no 'hoje imperecível'.

1.7 "Vemos a mediunidade em todos os tempos e em todos os lugares da massa humana.

"Missões santificantes e guerras destruidoras, tarefas nobres e obsessões pérfidas guardam origem nos reflexos da mente individual ou coletiva, combinados com as forças sublimadas ou degradantes dos pensamentos de que se nutrem.

"Saibamos, assim, cultivar a educação, aprimorando-nos cada dia.

"Médiuns somos todos nós, nas linhas de atividade em que nos situamos.

"A força psíquica, nesse ou naquele teor de expressão, é peculiar a todos os seres, mas não existe aperfeiçoamento mediúnico sem acrisolamento da individualidade.

"É contraproducente intensificar a movimentação da energia sem disciplinar-lhe os impulsos.

"É perigoso possuir sem saber usar.

"O espelho sepultado na lama não reflete o esplendor do Sol.

"O lago agitado não retrata a imagem da estrela que jaz no infinito.

"Elevemos nosso padrão de conhecimento pelo estudo bem conduzido e apuremos a qualidade de nossa emoção pelo exercício constante das virtudes superiores, se nos propomos recolher a mensagem das grandes almas.

"Mediunidade não basta só por si.

"É imprescindível saber que tipo de onda mental assimilamos para conhecer da qualidade de nosso trabalho e ajuizar de nossa direção."

Albério prosseguiu ainda em seus valiosos comentários e, mais tarde, passou a responder a complicadas perguntas que lhe eram desfechadas por diversos aprendizes. Por minha vez, recolhera largo material de meditação e, em razão disso, em companhia de Hilário, despedi-me dos instrutores com alguns monossílabos de agradecimento, ouvindo de Áulus a promessa de reencontro para o dia seguinte.

2
O psicoscópio

2.1   Tornando ao convívio do assistente, na noite imediata, dele recebemos o acolhimento gentil da véspera.

— Creio haver traçado o nosso programa — falou paternal. Finda a ligeira pausa em que nos registrava a atenção, prosseguiu:

— Admito que devamos centralizar nossas observações em reduzido núcleo, onde melhor dispomos do fator qualidade. Temos um grupo de dez companheiros encarnados, com quatro médiuns detentores de faculdades regularmente desenvolvidas e de lastro moral respeitável. Trata-se de pequeno conjunto, a serviço de uma instituição consagrada ao nosso ideal cristianizante. Desse grupo-base ser-nos-á possível alongar apontamentos e coletar anotações que se façam valiosas à nossa tarefa.

Fitou-nos com bondade por um instante de silêncio e acrescentou:

— Isso porque vocês pretendem especializar conhecimentos a respeito da mediunidade apenas no círculo terrestre, uma vez que em nosso campo de ação espiritual o assunto seria muito menos complexo.

Sim — esclarecemos Hilário e eu —, desejávamos auxiliar, de algum modo, os irmãos encarnados, na execução de serviços em que se mostravam comprometidos. A oportunidade, por esse motivo, surgia diante de nós por verdadeira bênção.

2.2

Decorridos alguns minutos de entendimento afetuoso, o orientador convidou solícito:

— Sigamos. Não há tempo a perder.

Logo após, muniu-se de pequena pasta e, talvez porque nos percebesse a curiosidade, informou paciente:

— Temos aqui o nosso *psicoscópio*, de modo a facilitar-nos exames e estudos, sem o impositivo de acurada concentração mental.

Tomei o enigmático volume, chamando a mim o agradável serviço de transportá-lo, notando, então, que na Terra o minúsculo objeto não pesaria senão alguns gramas.

Espicaçado tanto quanto eu pela curiosidade, Hilário indagou sem preâmbulos:

— Psicoscópio? Que novo engenho vem a ser esse?

— É um aparelho a que intuitivamente se referiu ilustre estudioso da fenomenologia espírita, em fins do século passado. Destina-se à auscultação da alma, com o poder de definir-lhe as vibrações e com capacidade para efetuar diversas observações acerca da matéria — esclareceu Áulus, com leve sorriso. — Esperamos esteja, mais tarde, entre os homens. Funciona à base de eletricidade e magnetismo, utilizando-se de elementos radiantes, análogos na essência aos raios gama. É constituído por óculos de estudo, com recursos disponíveis para a microfotografia.

E, enquanto demandávamos a cidade terrestre em que nos cabia operar, o mentor continuava, explicando:

— Em nosso esforço de supervisão, podemos classificar sem dificuldade as perspectivas desse ou daquele agrupamento de serviços psíquicos que aparecem no mundo. Analisando a psicoscopia de uma personalidade ou de uma equipe de trabalhadores, é possível anotar-lhes as possibilidades e categorizar-lhes a situação. Segundo as radiações que projetam, planejamos a obra que podem realizar no tempo.

2.3   Meu colega e eu não conseguíamos sopitar a surpresa.

Entre assombrado e receoso, ousou Hilário inquirir:

— Quer isso dizer que qualquer de nós pode ser submetido a exame dessa espécie?

— Sem dúvida — considerou o nosso interlocutor bem-humorado —; decerto que estamos sujeitos às sondagens dos planos superiores, tanto quanto pesquisamos agora os planos que se nos situam à retaguarda. Se o espectroscópio permite ao homem perquirir a natureza dos elementos químicos, localizados a enormes distâncias, por meio da onda luminosa que arrojam de si, com muito mais facilidade identificaremos os valores da individualidade humana pelos raios que emite. A moralidade, o sentimento, a educação e o caráter são claramente perceptíveis com ligeira inspeção.

— Mas — indagou Hilário, investigador — e na hipótese de surgirem elementos arraigados ao mal, numa formação de cooperadores do bem? De posse da ficha psicoscópica, os instrutores espirituais providenciar-lhes-ão a expulsão?

— Não será preciso. Se a maioria permanece empenhada na extensão do bem, a minoria encarcerada no mal distancia-se do conjunto, pouco a pouco, por ausência de afinidade.

— Contudo — alegou ainda o meu companheiro —, que acontece numa instituição cujo programa elevado se degenera em desequilíbrio, induzindo-nos a reconhecer que a virtude aí não passa de bandeira fictícia, acobertando a ignorância e a perversidade?

— Então, nesse caso — adiantou o interpelado, tolerante —, dispensamos qualquer regime de perseguição ou denúncia. Encarrega-se a vida de colocar-nos no lugar que nos compete.

E, sorrindo, ajuntou: 2.4

— Os Anjos ou ministros da eterna Sabedoria entregam-nos, com segurança, às forjas renovadoras do tempo e da provação. Sabe-se, atualmente, na Terra, que um grama de rádio perde a metade do seu peso em 16 séculos e que um cíclotron, trabalhando com projetis atômicos acelerados a milhões de elétrons-volt, realiza a transmutação dos elementos químicos de imediato. A evolução vagarosa nos milênios ou o choque brusco do sofrimento alteram-nos o panorama mental, aprimorando-lhe os valores.

Essas notas arrastavam-nos a divagação noutros campos.

O assistente revelava brilhante cultura, aliada a extremas facilidades de exposição.

Dispunha-me a ensaiar perguntas extrasserviço, mas, adivinhando-nos o intento, Áulus objetou:

— Toda conversação nobre é instrutiva; no entanto, por agora, guardemos o espírito no trabalho a fazer. O êxito não exonera a atenção. Se cairmos numa digressão acerca da química, o horário não nos desculpará.

Reajustando-se aos nossos objetivos, Hilário acentuou:

— O psicoscópio, só por si, dá margem a preciosas reflexões. Imaginemos uma sociedade humana que pudesse retratar a vida interior dos seus membros... Isso economizaria grandes cotas de tempo na solução de inúmeros problemas psicológicos.

— Sim — anuiu o mentor, cordial —, o futuro reserva prodígios ao senso do homem comum.

Havíamos, porém, alcançado o portão de espaçoso edifício que o assistente nos designou como o santuário que nos competia visitar e servir.

— Esta é a casa espírita cristã onde encontraremos nosso ponto básico de experiências e observações.

Entramos.

2.5 Atravessado largo recinto em que estacionavam numerosas entidades menos felizes de nosso plano, o orientador esclareceu:

— Vemos aqui o salão consagrado aos ensinamentos públicos; todavia, o núcleo que buscamos jaz situado em reduto íntimo, assim como o coração dentro do corpo.

Escoados alguns instantes, penetramos acanhado aposento, onde se congregava reduzida assembleia em silenciosa concentração mental.

— Nossos companheiros — elucidou o assistente — fazem o serviço de harmonização preparatória. Quinze minutos de prece, quando não sejam de palestra ou leitura com elevadas bases morais. Sabem que não devem abordar o mundo espiritual sem a atitude nobre e digna que lhes outorgará a possibilidade de atrair companhias edificantes e, por esse motivo, não compareçam aqui sem trazer ao campo que lhes é invisível as sementes do melhor que possuem.

Hilário e eu nos inclinávamos à indagação; contudo, a respeitabilidade do recinto impunha-nos silêncio.

Amigos da nossa esfera ali se demoravam em oração, compelindo-nos a entranhado recolhimento.

O assistente armou o psicoscópio e, depois de ligeira análise, recomendou-nos a observação.

Chegada a minha vez de usá-lo, assombraram-me as peculiaridades do aparelho.

Sem necessidade de esforço mental, notei que todas as expressões de matéria física assumiam diferente aspecto, destacando-se a matéria de nosso plano.

Teto, paredes e objetos de uso corriqueiro revelavam-se formados de correntes de força, a emitirem baça claridade.

Detive-me na contemplação dos companheiros encarnados que agora apareciam mais estreitamente associados entre si, pelos vastos círculos radiantes que lhes nimbavam as cabeças de opalino esplendor.

Tive a impressão de fixar, em torno do apagado bloco de **2.6** massa semiobscura a que se reduzira a mesa, uma coroa de luz solar, formada por dez pontos característicos, salientando-se no centro de cada um deles o semblante espiritual dos amigos em oração.

Desse colar de focos dourados alongava-se extensa faixa de luz violeta, que parecia contida numa outra faixa de luz alaranjada, a espraiar-se em tonalidades diversas que, de momento, não pude identificar, uma vez que minha atenção estava presa ao círculo dos rostos fulgurantes, visivelmente unidos entre si, à maneira de dez pequeninos sóis, imanados uns aos outros. Reparei que sobre cada um deles se ostentava uma auréola de raios quase verticais, fulgentes e móveis, quais se fossem diminutas antenas de ouro fumegante. Sobre essas coroas que se particularizavam, de companheiro a companheiro, caíam do alto abundantes jorros de luminosidade estelar que, tocando as cabeças ali irmanadas, pareciam suaves correntes de força a se transformarem em pétalas microscópicas, que se acendiam e apagavam, em miríades de formas delicadas e caprichosas, gravitando, por momentos, ao redor dos cérebros em que se produziam, quais satélites de vida breve em torno das fontes vitais que lhes davam origem.

Custodiando a assembleia, permaneciam os mentores espirituais presentes, cada qual irradiando a luz que lhe era própria.

Admirado, porém, com os irmãos da esfera física, a se revelarem tão afins na onda brilhante em que se reuniam, perguntei entusiástico:

— Áulus, amigo, os companheiros que visitamos são, porventura, grandes iniciados na revelação divina?

O interpelado estampou um gesto de bom humor e respondeu:

— Não. Achamo-nos ainda muito longe de semelhantes apóstolos. Vemo-nos aqui na companhia de quatro irmãs e seis irmãos de boa vontade. Naturalmente, são pessoas comuns.

Comem, bebem, vestem-se e apresentam-se na Terra sob o aspecto vulgar de outras criaturas do ramerrão carnal; no entanto, trazem a mente voltada para os ideais superiores da fé ativa, a expressar-se em amor pelos semelhantes. Procuram disciplinar-se, exercitam a renúncia, cultivam a bondade constante e, por intermédio do esforço próprio no bem e no estudo nobremente conduzido, adquiriram elevado teor de radiação mental.

2.7 Hilário, que utilizara o psicoscópio em primeiro lugar, alegou com o deslumbramento de uma criança espantada:

— Mas e a luz? A matéria que conhecemos no mundo transfigurou-se. Tudo aqui se converteu em claridade nova! O espetáculo é magnífico!...

— Nada de estranheza — falou o assistente bondoso —, não sabe você que um homem encarnado é um gerador de força eletromagnética, com uma oscilação por segundo, registrada pelo coração? Ignora, porventura, que todas as substâncias vivas da Terra emitem energias, enquadradas nos domínios das radiações ultravioletas? Reportando-nos aos nossos companheiros, possuímos neles almas regularmente evoluídas, em apreciáveis condições vibratórias pela sincera devoção ao bem, com esquecimento dos seus próprios desejos. Podem, desse modo, projetar raios mentais, em vias de sublimação, assimilando correntes superiores e enriquecendo os raios vitais de que são dínamos comuns.

— Raios vitais? — redarguiu meu colega, faminto de esclarecimento.

— Sim, para maior limpidez da definição, chamemos-lhes raios ectoplásmicos, unindo nossos apontamentos à nomenclatura dos espiritistas modernos. Esses raios são peculiares a todos os seres vivos. É com eles que a lagarta realiza suas complicadas demonstrações de metamorfose e é ainda na base deles que se efetuam todos os processos de materialização mediúnica, porquanto os sensitivos encarnados que os favorecem libertam essas energias com mais facilidade. Todas as criaturas, porém, guardam-nas consigo, emitindo-as em frequência que varia em cada uma, de conformidade com as tarefas que o plano da vida lhes assinala.

E, otimista, acrescentou:

2.8

— O estudo da mediunidade repousa nos alicerces da mente com o seu prodigioso campo de radiações. A ciência dos raios imprimirá, em breve, grande renovação aos setores culturais do mundo. Aguardemos o porvir.

Em seguida, Áulus convidou-nos a inspeção mais direta e acompanhamo-lo alegremente.

3
Equipagem mediúnica

3.1   — Conheçamos a nossa equipagem mediúnica — disse o orientador.

E, detendo-se ao pé do companheiro encarnado que regia os trabalhos, apresentou:

— Este é o nosso irmão Raul Silva, que dirige o núcleo com sincera devoção à fraternidade. Correto no desempenho dos seus deveres e ardoroso na fé, consegue equilibrar o grupo na onda de compreensão e boa vontade que lhe é característica. Pelo amor com que se desincumbe da tarefa, é instrumento fiel dos benfeitores desencarnados, que lhe identificam na mente um espelho cristalino, retratando-lhes as instruções.

Logo após, caminhou na direção de uma senhora muito jovem e, designando-a, explicou:

— Eis nossa irmã Eugênia, médium de grande docilidade, que promete brilhante futuro na expansão do bem. Excelente órgão de transmissão, coopera com eficiência na ajuda aos desencarnados em desequilíbrio. Intuição clara, aliada a distinção moral, tem a vantagem de conservar-se consciente nos serviços de intercâmbio, beneficiando-nos a ação.

Quase rente, parou à esquerda de um rapaz de seus 30 anos presumíveis e informou: **3.2**

— Aqui temos nosso amigo Anélio Araújo. Vem conquistando gradativo progresso na clarividência, na clariaudiência e na psicografia.

Em seguida, abeirou-se de um cavalheiro simpático e notificou:

— Este é o nosso colaborador Antônio Castro, moço bem-intencionado e senhor de valiosas possibilidades em nossas atividades de permuta. Sonâmbulo, no entanto, é de uma passividade que nos requer grande vigilância. Desdobra-se com facilidade, levando a efeito preciosas tarefas de cooperação conosco, mas ainda necessita de maiores estudos e mais amplas experiências para expressar-se com segurança acerca das próprias observações. Por vezes, comporta-se, fora da matéria densa, à maneira de uma criança, comprometendo-nos a ação. Quando empresta o veículo a entidades dementes ou sofredoras, reclama-nos cautela, porquanto quase sempre deixa o corpo à mercê dos comunicantes, quando lhe compete o dever de nos ajudar na contenção deles, a fim de que o nosso tentame de fraternidade não lhe traga prejuízo à organização física. Será, porém, valioso auxiliar em nossos estudos.

Movimentando-se algo mais, o assistente estacou diante de respeitável senhora, que se mantinha em fervorosa prece, e exclamou:

— Apresento-lhes agora nossa irmã Celina, devotada companheira de nosso ministério espiritual. Já atravessou meio século de existência física, conquistando significativas vitórias em suas batalhas morais. Viúva há quase vinte anos, dedicou-se aos filhos com admirável denodo, varando estradas espinhosas e dias escuros de renunciação. Suportou heroicamente o assédio de compactas legiões de ignorância e miséria que lhe rodeavam o esposo, com quem se consorciara em tarefa de sacrifício. Conheceu, de perto, a perseguição de gênios infernais a que não se rendeu e, lutando, por muitos anos, para atender de modo irrepreensível às obrigações que o mundo lhe assinalava, acrisolou as faculdades medianímicas, aperfeiçoando-as nas chamas do sofrimento moral, como se aprimoram as peças de ferro sob a ação do fogo e da bigorna. Ela não é simples instrumento de fenômenos psíquicos. É abnegada servidora na construção de valores do espírito. A clarividência e a clariaudiência, a incorporação sonambúlica e o desdobramento da personalidade são estados em que ingressa, na mesma espontaneidade com que respira, guardando noção de suas responsabilidades e representando, por isso, valiosa colaboradora de nossas realizações. Diligente e humilde, encontrou na plantação do amor fraterno a sua maior alegria e, repartindo o tempo entre as obrigações e os estudos edificantes, transformou-se num acumulador espiritual de energias benéficas, assimilando elevadas correntes mentais, com o que se faz menos acessível às forças da sombra.

3.3   Realmente, ao lado da irmã sob nossa vista, fruíamos deliciosa sensação de paz e reconforto.

Provavelmente fascinado pela onda de alegria indefinível em que nos banhávamos, Hilário indagou:

— Se extraíssemos agora uma ficha psicoscópica de dona Celina, a posição dela, como a estamos registrando, seria devidamente caracterizada?

— Perfeitamente — elucidou Áulus, de pronto —; assinalar-lhe-ia as emanações fluídicas de bondade e compreensão, fé e bom ânimo. Assim como a Ciência na Terra consegue catalogar os elementos químicos que entram nas formações de matéria densa, em nosso campo de matéria rarefeita é possível analisar o tipo de forças sutis que dimanam de cada ser. Mais tarde, o homem poderá examinar uma emissão de otimismo ou de confiança, de tristeza ou desesperação e fixar-lhes a densidade e os limites, como já pode separar e estudar as radiações do átomo de urânio. Os princípios mentais são mensuráveis e merecerão no porvir excepcionais atenções entre os homens, qual acontece na atualidade com os fotônios, estudados pelos cientistas que se empenham em decifrar a constituição específica da luz.

Depois de ligeiro intervalo, o assistente aduziu: 3.4

— Uma ficha psicoscópica, sobretudo, determina a natureza de nossos pensamentos e, por meio de semelhante auscultação, é fácil ajuizar dos nossos méritos ou das nossas necessidades.

Logo após, nosso orientador convocou-nos a exame detido, junto ao campo encefálico da irmã Celina, acentuando:

— Em todos os processos medianímicos, não podemos esquecer a máquina cerebral como órgão de manifestação da mente. Decerto, já possuem conhecimentos adequados a respeito do aparelhamento orgânico, dispensando-nos a atenção em particularidades técnicas sobre o vaso carnal.

E, afagando-lhe a cabeça pintalgada de cabelos brancos, acrescentou:

— Bastar-nos-á sucinto exame da vida intracraniana, onde estão assentadas as chaves de comunicação entre o mundo mental e o mundo físico.

Centralizando a atenção, através de pequenina lente que Áulus nos estendeu, o cérebro de nossa amiga pareceu-nos poderosa estação radiofônica, reunindo milhares de antenas e condutos, resistências e ligações de tamanho microscópico, à disposição das células especializadas em serviços diversos, a funcionarem como detectores e estimulantes, transformadores e ampliadores da sensação e da ideia, cujas vibrações fulguravam aí dentro como raios incessantes, iluminando um firmamento minúsculo.

3.5   O assistente observou conosco aquele precioso labirinto, em que a epífise[2] brilhava como pequenino sol azul, e falou:

— Não nos convém relacionar minudências relativas ao cérebro e ao sistema nervoso em geral, com as quais se encontram vocês familiarizados nos conhecimentos humanos comuns.

Nesse instante, reparei admirado os feixes de associação entre as células corticais, vibrando com a passagem do fluxo magnético do pensamento.

— Recordemos — prosseguiu o instrutor — que o delicado aparelho encefálico reúne milhões de células, que desempenham funções particulares, quais sejam as dos trabalhadores em fila hierárquica, na harmoniosa estrutura de um Estado.

E, enumerando determinadas regiões, trecho a trecho, daquele prodigioso reino pensante, declarou:

— Não precisaremos alongar digressões. As experiências adquiridas pela alma constituem maravilhosas sínteses de percepção e sensibilidade, na condição de Espíritos libertos em que nos encontramos, mas especificam-se no equipamento de matéria densa como núcleos de controle das manifestações da individualidade, perfeitamente analisáveis. É assim que a alma encarnada possui no cérebro físico os centros especiais que governam a cabeça, o rosto, os olhos, os ouvidos e os membros, em conjunto com os centros da fala, da linguagem, da visão, da audição, da memória, da escrita, do paladar, da deglutição, do tato, do olfato, do registro de calor e frio, da dor, do equilíbrio muscular, da comunhão com os valores internos da mente, da ligação com o mundo exterior, da imaginação, do gosto estético, dos variados estímulos artísticos e tantos outros quantas sejam as aquisições de experiência entesouradas pelo ser, que conquista a

---

[2] N.E.: Pequena glândula endócrina do tamanho de uma ervilha, localizada entre os dois hemisférios cerebrais, cujos hormônios regulam as reações do organismo à luz e à obscuridade, desempenhando importante papel no sono e no controle das atividades sexuais. O mesmo que glândula pineal.

própria individualidade passo a passo e esforço a esforço, enaltecendo-a pelo trabalho constante para a sublimação integral, em face de todas as vias de progresso e aprimoramento que a Terra lhe possa oferecer.

Breve pausa surgiu espontânea.

3.6

E porque Hilário e eu não ousássemos interferir, o assistente continuou:

— Não podemos realizar qualquer estudo de faculdades medianímicas sem o estudo da personalidade. Considero, assim, de extrema importância a apreciação dos centros cerebrais, que representam bases de operação do pensamento e da vontade, que influem de modo compreensível em todos os fenômenos mediúnicos, desde a intuição pura à materialização objetiva. Esses recursos, que merecem a defesa e o auxílio das entidades sábias e benevolentes, em suas tarefas de amor e sacrifício junto dos homens, quando os medianeiros se sustentam no ideal superior da bondade e do serviço ao próximo, em muitas ocasiões podem ser ocupados por entidades inferiores ou animalizadas, em lastimáveis processos de obsessão.

— Mas — interpôs Hilário, judicioso —, diante de um campo cerebral tão iluminado quanto o de nossa irmã Celina, será lícito aceitar a possibilidade de invasão dele por parte de Inteligências menos evoluídas? Será cabível semelhante retrocesso?

— Não podemos olvidar — considerou o assistente — que Celina se encontra encarnada numa prova de longo curso e que, nos encargos de aprendiz, ainda se encontra muito longe de terminar a lição.

Meditou um momento e filosofou bem-humorado:

— Numa viagem de cem léguas podem ocorrer muitas surpresas no derradeiro quilômetro do caminho.

Logo após, colocando a destra paternal sobre a fronte da médium, prosseguiu:

3.7 — Nossa irmã vem atravessando os seus testemunhos de boa vontade, fé viva, caridade e paciência. Tanto quanto nós, ainda não possui plena quitação com o passado. Somos vasta legião de combatentes em vias de vencer os inimigos que nos povoam a fortaleza íntima ou o mundo de nós mesmos, inimigos simbolizados em nossos velhos hábitos de convívio com a natureza inferior, a nos colocarem em sintonia com os habitantes das sombras, evidentemente perigosos ao nosso equilíbrio. Se nossa amiga Celina, quanto qualquer de nós, abandonar a disciplina a que somos constrangidos para manter a boa forma na recepção da luz, rendendo-se às sugestões da vaidade ou do desânimo, que costumamos fantasiar como direitos adquiridos ou injustificável desencanto, decerto sofrerá o assédio de elementos destrutivos que lhe perturbarão a nobre experiência atual de subida. Muitos médiuns se arrojam a prejuízos dessa ordem. Depois de ensaios promissores e começo brilhante, acreditam-se donos de recursos espirituais que lhes não pertencem ou temem as aflições prolongadas da marcha e recolhem-se à inutilidade, descendo de nível moral ou conchegando-se a improdutivo repouso, porquanto retomam inevitavelmente a cultura dos impulsos primitivos que o trabalho incessante no bem os induziria a olvidar.

E sorrindo:

— Ainda não chegamos à vitória suprema sobre nós mesmos. Achamo-nos na condição do solo terrestre, que não prescinde do arado protetor ou da enxada prestimosa a fim de produzir. Sem os instrumentos do trabalho e da luta, aperfeiçoando-nos as possibilidades, estaríamos permanentemente ameaçados pela erva daninha que mais se alastra e se afirma tanto quanto melhor é a qualidade do *trato de terra*[3] em abandono.

Fitando-nos, de frente, como a recordar o peso das responsabilidades de que nos investíamos, completou:

---

[3] N.E.: Pedaço de terra.

— Nossas realizações espirituais do presente são pequeninas réstias de claridade sobre as pirâmides de sombra do nosso passado. É imprescindível muita cautela com as sementeiras do bem para que a ventania do mal não as arrase. É por isso que a tarefa mediúnica, examinada como instrumentação para a obra das Inteligências superiores, não é tão fácil de ser conduzida a bom termo, uma vez que, contra o canal ainda frágil que se oferece à passagem da luz, acometem as ondas pesadas de treva da ignorância, a se agitarem, compactas, ao nosso derredor.

3.8

Calou-se o assistente.

Dir-se-ia que ele também agora se ligava ao campo magnético dos amigos em silêncio, para o trabalho da reunião prestes a começar.

4
Ante o serviço

4.1   Leve chamamento à porta provocou a saída de um dos companheiros da atitude de meditação para atender.

Dois enfermos, uma senhora jovem e um cavalheiro idoso, custodiados por dois familiares, transpuseram o umbral, localizando-se num dos ângulos da sala, fora do círculo magnético.

— São doentes a serem beneficiados — informou-nos o orientador.

Logo após, um colaborador de nosso plano franqueou acesso a numerosas entidades sofredoras e perturbadas, que se postaram diante da assembleia, formando legião.

Nenhuma delas vinha até nós constrangidamente.

Dir-se-ia que se aglomeravam, em derredor dos amigos encarnados em prece, quais mariposas inconscientes rodeando grande luz.

Vinham bulhentas, proferindo frases desconexas ou exclamações menos edificantes; entretanto, logo que atingidas pelas emanações espirituais do grupo, emudeciam de pronto, qual se fossem contidas por forças que elas próprias não conseguiam perceber.

Atencioso, Áulus notificou: 4.2

— São almas em turvação mental, que acompanham parentes, amigos ou desafetos às reuniões públicas da instituição e que se desligam deles quando os encarnados se deixam renovar pelas ideias salvadoras, expressas na palavra dos que veiculam o ensinamento doutrinário. Modificado o centro mental daqueles que habitualmente vampirizam, essas entidades veem-se como que despejadas de casa, porquanto, alterada a elaboração do pensamento naqueles a quem se afeiçoam, experimentam súbitas reviravoltas nas posições em que falsamente se equilibram. Algumas delas, rebeladas, fogem dos templos de oração como este, detestando-lhes temporariamente os serviços e armando novas perseguições às suas vítimas, que procuram até o reencontro; contudo, outras, de algum modo tocadas pelas lições ouvidas, demoram-se no local das predicações, em ansiosa expectativa, famintas de maior esclarecimento.

Hilário, que recebia, surpreso, semelhantes informes, perguntou curioso:

— Que ocorre, porém, quando os encarnados não prestam atenção nos ensinamentos ouvidos?

— Sem dúvida, passam pelos santuários da fé na condição de urnas cerradas. Impermeáveis ao bom aviso, continuam inacessíveis à mudança necessária.

— Mas este mesmo fenômeno se repete nas igrejas de outras confissões religiosas?

— Sim. A palavra desempenha significativo papel nas construções do espírito. Sermões e conferências de sacerdotes e doutrinadores, em variados setores da fé, sempre que inspirados no infinito Bem, guardam o objetivo da elevação moral.

O assistente meditou um instante e acrescentou:

4.3 — Entre os homens, porém, se não é fácil cultivar a vida digna, é muito difícil habilitar-se a criatura à morte libertadora. Comumente, desencarna-se a alma sem que se lhe desagarrem os pensamentos, enovelados em situações, pessoas e coisas da Terra. A mente, por isso, continua encarcerada nos interesses quase sempre inferiores do mundo, cristalizada e enfermiça em paisagens inquietantes, criadas por ela mesma. Daí o valor do culto religioso respeitável, formando ambiente propício à ascensão espiritual, com indiscutíveis vantagens não só para os Espíritos encarnados que a ele assistem com sinceridade e fervor, mas também para os desencarnados, que aspiram à própria transformação. Todos os santuários, em seus atos públicos, estão repletos de almas necessitadas que a eles compareçam, sem o veículo denso, sequiosas de reconforto. Os expositores da boa palavra podem ser comparados a técnicos eletricistas, desligando "tomadas mentais", por intermédio dos princípios libertadores que distribuem na esfera do pensamento.

Sorriu bem-humorado e prosseguiu:

— Em razão disso, as entidades vampirizantes operam contra eles, muitas vezes envolvendo-lhes os ouvintes em fluidos entorpecentes, conduzindo esses últimos ao sono provocado, para que se lhes adie a renovação.

Observando os irmãos retardados que se abeiravam da mesa num quase semicírculo, tive a ideia de usar o psicoscópio, de modo a examiná-los detidamente, ao que Áulus informou prestimoso:

— Não será preciso. Bastará uma análise atenta para a colheita de resultados interessantes, uma vez que os nossos amigos estampam no próprio corpo perispiritual os sofrimentos de que são portadores.

Notei que o assistente não desejava alongar a conversação, decerto preparando-se para colaborar nos trabalhos próximos e, por esse motivo, aproveitei os instantes à nossa frente, especificando observações junto aos companheiros menos felizes que se uniam estreitamente uns aos outros, entre a angústia e a expectação.

Pareciam envolvidos em grande nuvem ovalada, qual nevoeiro cinza-escuro, espesso e móvel, agitado por estranhas formações. **4.4**

Reparei o conjunto, notando que alguns deles se mostravam enfermos, como se estivessem ainda na carne.

Membros lesados, mutilações, paralisias e ulcerações diversas eram perceptíveis a rápido olhar.

Talvez porque Hilário e eu nos demorássemos em atencioso exame, na posição de aprendizes em aula, um dos colaboradores espirituais da reunião acercou-se de nós e falou cordial:

— Nossos irmãos sofredores trazem consigo, individualmente, o estigma dos erros deliberados a que se entregaram. A doença, como resultante de desequilíbrio moral, sobrevive no perispírito, alimentada pelos pensamentos que a geraram, quando esses pensamentos persistem depois da morte do corpo físico.

— Mas adquirem melhoras positivas em reunião de intercâmbio? — indagou Hilário, espantadiço.

— Sim — esclareceu o interlocutor —, assimilam ideias novas com que passam a trabalhar, ainda que vagarosamente, melhorando a visão interior e estruturando, assim, novos destinos. A renovação mental é a renovação da vida.

Meditei na ilusão dos que julgam na morte livre passagem da alma, em demanda do céu ou do inferno, como lugares determinados de alegria e padecimento...

Quão raros na Terra se capacitam de que trazemos conosco os sinais de nossos pensamentos, de nossas atividades e de nossas obras, e o túmulo nada mais faz que o banho revelador das imagens que escondemos no mundo, sob as vestes da carne!...

4.5 A consciência é um núcleo de forças em torno do qual gravitam os bens e os males gerados por ela mesma e, ali, estávamos defrontados por vasta fileira de almas sofrendo nos purgatórios diferenciados que lhes eram característicos.

Abeiramo-nos de triste companheiro de macilenta expressão fisionômica, e Hilário, num impulso todo humano, perguntou-lhe:

— Amigo, como te chamas?

— Eu? — tartamudeou o interpelado.

E, num esforço tremendo e inútil para recordar-se de alguma coisa, ajuntou:

— Eu não tenho nome...

— Impossível! — considerou meu colega, dominado de espanto. — Todos temos um nome.

— Esqueci-me, esqueci-me de tudo... — comentou o infeliz, desoladoramente.

— É um caso de amnésia a estudar — aclarou o companheiro da equipe de trabalho que visitávamos.

— Fenômeno natural? — interrogou Hilário, perplexo.

— Sim, pode ser natural em razão de algum desequilíbrio trazido da Terra, mas é possível que o nosso amigo esteja sendo vítima de vigorosa sugestão pós-hipnótica, partida de algum perseguidor de grande poder sobre os seus recursos mnemônicos.[4] Encontra-se ainda profundamente imantado às sensações físicas e a vida cerebral nele ainda é uma cópia das linhas sensoriais que deixou. Assim considerando, é provável esteja submetido ao império de vontades estranhas e menos dignas, às quais se teria associado no mundo.

— Céus! — clamou meu colega impressionado. — É possível semelhante dominação depois da morte?

— Como não? A morte é continuação da vida, e na vida, que é eterna, possuímos o que buscamos.

---

[4] N.E.: Relativos à memória.

Atento aos nossos estudos da mediunidade, observei: **4.6**

— Se o nosso amigo desmemoriado for conduzido ao aparelho mediúnico, manifestar-se-á, acaso, assim, ignorando a identidade que lhe é própria?

— Perfeitamente. E precisará de tratamento carinhoso como qualquer alienado mental comum. Exprimindo-se por algum médium que lhe dê guarida, será para qualquer doutrinador terrestre o mesmo enigma que estamos presenciando.

Nesse momento, renteou conosco uma entidade em deplorável aspecto.

Era um homem esguio e triste, exibindo o braço direito paralítico e ressecado.

Atendendo-me ao olhar interrogativo, o companheiro, como quem não mais dispunha de tempo para o comentário fraterno, apenas me disse:

— Faça uma auscultação. Repare por si mesmo.

Acerquei-me do amigo sofredor.

Toquei-lhe a fronte de leve e registrei-lhe a angústia.

Nas recordações que se lhe haviam cristalizado no mundo mental, senti-lhe o drama interior.

Fora musculoso estivador no cais, alcoólatra inveterado que, certa feita, de volta a casa, esbofeteou a face paterna porque o velho genitor lhe exprobrara o procedimento.

Incapaz de revidar, o ancião, cuspinhando sangue, praguejou desapiedado:

— Infame! O teu braço cruel será transformado em galho seco... Maldito sejas!

Ouvindo tais palavras que se fizeram seguidas por terrível jato de força hipnotizante, o mísero tornou à via pública, sugestionado pela maldição recebida, bebericando para esquecer.

Cambaleante, foi vitimado num desastre de bonde, no qual veio a perder o braço.

4.7   Sobreviveu por alguns anos, coagulando, contudo, no próprio pensamento a ideia de que a expressão paternal tivera a força de uma ordem vingativa a se lhe implantar no fundo da alma e, por isso, ao desencarnar, recuperara o membro dantes mutilado a pender-lhe, ressecado e inerte, no corpo perispirítico.

Enquanto refletia, nosso orientador reaproximou-se de nós e, percebendo quanto se passava, informou:

— É um caso de reajuste difícil, reclamando tempo e tolerância.

E, afagando os ombros do paralítico, acentuou:

— Nosso amigo traz a mente subjugada pelo remorso com que ambientou nele mesmo a maldição recebida. Exige muito carinho para refazer-se.

Sem despreocupar-me do tema que nos prendia a atenção, inquiri:

— Se esse companheiro utilizar-se da organização mediúnica, transmitirá ao receptor humano as sensações de que se acha investido?

— Sim — elucidou o assistente —, refletirá no instrumento passivo as impressões que o possuem, nos processos de imanização em que se baseiam os serviços de intercâmbio.

Sorriu, bondoso, e acrescentou:

— No entanto, não nos percamos agora nos casos particulares. Cada entidade menos equilibrada de quantas se acham reunidas aqui traz consigo inquietantes experiências. Observemos de plano mais alto.

E conduziu-me à cabeceira da mesa, onde o nosso amigo Raul Silva ia começar o serviço de oração.

5
Assimilação de correntes mentais

5.1 Faltavam apenas dois minutos para as vinte horas quando o dirigente espiritual mais responsável deu entrada no pequeno recinto.
Nosso orientador articulou a apresentação.
O irmão Clementino abraçou-nos, acolhedor.
A casa pertencia-nos a todos, explicou sorridente. Estivéssemos, pois, à vontade, na tarefa de que nos achávamos investidos.
A essa altura, diversas entidades do nosso plano colocaram-se junto dos médiuns que estariam de serviço.
Clementino avançou em direção a Raul Silva, perto de quem se postou em muda reflexão.
Logo após, Áulus convidou-me ao psicoscópio e, graduando-o sob nova modalidade, recomendou-nos acurado exame.
Foquei os companheiros encarnados em concentração mental, identificando-os sob aspecto diferente.

Dessa vez, os veículos físicos apareciam quais se fossem correntes eletromagnéticas em elevada tensão. 5.2

O sistema nervoso, os núcleos glandulares e os plexos emitiam luminescência particular. E, justapondo-se ao cérebro, a mente surgia como esfera de luz característica, oferecendo em cada companheiro determinado potencial de radiação.

Assinalando-nos a curiosidade, o assistente explicou:

— Em qualquer estudo mediúnico, não podemos esquecer que a individualidade espiritual, na carne, mora na cidadela atômica do corpo, formado por recursos tomados de empréstimo ao ambiente do mundo. Sangue, encéfalo, nervos, ossos, pele e músculos representam materiais que se aglutinam entre si para a manifestação transitória da alma, na Terra, constituindo-lhe vestimenta temporária, segundo as condições em que a mente se acha.

Nesse instante, o irmão Clementino pousou a destra na fronte do amigo que comandava a assembleia, mostrando-se-nos mais humanizado, quase obscuro.

— O benfeitor espiritual que ora nos dirige — acentuou o nosso instrutor — afigura-se-nos mais pesado, porque amorteceu o elevado tom vibratório em que respira habitualmente, descendo à posição de Raul, tanto quanto lhe é possível, para benefício do trabalho começante. Influencia agora a vida cerebral do condutor da casa, à maneira dum musicista emérito manobrando, respeitoso, um violino de alto valor, do qual conhece a firmeza e a harmonia.

Notamos que a cabeça venerável de Clementino passou a emitir raios fulgurantes, ao mesmo tempo que o cérebro de Silva, sob os dedos do benfeitor, se nimbava de luminosidade intensa, embora diversa.

O mentor desencarnado levantou a voz comovente, suplicando a bênção divina com expressões que nos eram familiares, expressões essas que Silva transmitiu igualmente em alta voz, imprimindo-lhes diminutas variações.

5.3 Com a emotividade que nos invadia a todos, brando silêncio se interpôs durante rápidos minutos.

Fios de luz brilhante ligavam os componentes da mesa, dando-nos a perceber que a prece os reunia mais fortemente entre si. Terminada a oração, acerquei-me de Silva. Desejava investigar mais a fundo as impressões que lhe assaltavam o campo físico, e observei-lhe, então, todo o busto, inclusive braços e mãos, sob vigorosa onda de força a eriçar-lhe a pele num fenômeno de doce excitação, como que "agradável calafrio". Essa onda de força descansava sobre o plexo solar, onde se transformava em luminoso estímulo, que se estendia pelos nervos até o cérebro, do qual se derramava pela boca, em forma de palavras.

Acompanhando-me a análise, o assistente explicou:

— O jato de forças mentais do irmão Clementino atuou sobre a organização psíquica de Silva, como a corrente dirigida para a lâmpada elétrica. Apoiando-se no plexo solar, elevou-se ao sistema neurocerebral, como a energia elétrica da usina emissora que, atingindo a lâmpada, se espalha no filamento incandescente, produzindo o fenômeno da luz.

— E o problema da voltagem? — indaguei curioso.

— Não foi esquecido. Clementino graduou o pensamento e a expressão de acordo com a capacidade do nosso Raul e do ambiente que o cerca, ajustando-se-lhes às possibilidades, tanto quanto o técnico de eletricidade controla a projeção de energia, segundo a rede dos elementos receptivos.

E sorrindo:

— Cada vaso recebe de conformidade com a estrutura que lhe é própria.

Os confrontos de Áulus sugeriam belas indagações. A ligação elétrica gera luz na lâmpada. E ali? O contato espiritual, decerto, segundo inferíamos, improvisava forças igualmente a se derramarem do cérebro e da boca de Silva, na feição de palavras e raios luminosos...

O instrutor percebeu-nos a muda inquirição e apressou-se em aclarar:

5.4

— A lâmpada em cujo bojo se faz luz arroja de si mesma os fotônios que são elementos vivos da natureza a vibrarem no "espaço físico", pelos movimentos que lhes são peculiares, e nossa alma, em cuja intimidade se processa a ideia irradiante, lança fora de si os princípios espirituais, condensados na força ponderável e múltipla do pensamento, princípios esses com que influímos no "espaço mental". Os mundos atuam uns sobre os outros pelas irradiações que despedem, e as almas influenciam-se mutuamente por intermédio dos agentes mentais que produzem.

A palavra serena e precisa do orientador compelia-nos à meditação, embora rápida.

Os claros apontamentos a respeito da energia mental conduziam-me a preciosas reflexões.

Então, o pensamento não escapava às realidades do mundo corpuscular, ponderei de mim para comigo.

Assim como possuímos na Terra valiosas observações alusivas à química da matéria densa, relacionando-lhe as unidades atômicas, o campo da mente oferecia largas ensanchas[5] ao estudo de suas combinações... Pensamentos de crueldade, revolta, tristeza, amor, compreensão, esperança ou alegria teriam natureza diferenciada, com característicos e pesos próprios, adensando a alma ou sutilizando-a, além de lhe definirem as qualidades magnéticas... A onda mental possuiria determinados coeficientes de força na concentração silenciosa, no verbo exteriorizado ou na palavra escrita...

Compreendia, desse modo, mais uma vez, e sem qualquer obscuridade, que somos naturalmente vítimas ou beneficiários

---

[5] N.E.: Oportunidades.

de nossas próprias criações, segundo as correntes mentais que projetamos, escravizando-nos a compromissos com a retaguarda de nossas experiências ou libertando-nos para a vanguarda do progresso, conforme nossas deliberações e atividades, em harmonia ou em desarmonia com as Leis eternas...

5.5 O solilóquio, porém, não devia alongar-se.

Nosso orientador, atento aos objetivos de nossa permanência na casa, chamou-me a novas observações:

— Repararam na comunhão entre Clementino e Silva no momento da prece?

E, ante a nossa expectação de aprendizes, continuou:

— Vimos aqui o fenômeno da perfeita assimilação de correntes mentais que preside habitualmente a quase todos os fatos mediúnicos. Para clareza de raciocínio, comparemos a organização de Silva, nosso companheiro encarnado, a um aparelho receptor, quais os que conhecemos na Terra, nos domínios da radiofonia. A emissão mental de Clementino, condensando-lhe o pensamento e a vontade, envolve Raul Silva em profusão de raios que lhe alcançam o campo interior, primeiramente pelos poros, que são miríades de antenas sobre as quais essa emissão adquire o aspecto de impressões fracas e indecisas. Essas impressões apoiam-se nos centros do corpo espiritual, que funcionam à guisa de condensadores, atingem, de imediato, os cabos do sistema nervoso, a desempenharem o papel de preciosas bobinas de indução, acumulando-se aí num átimo e reconstituindo-se, automaticamente, no cérebro, onde possuímos centenas de centros motores, semelhante a milagroso teclado de eletroímãs, ligados uns aos outros e em cujos fulcros dinâmicos se processam as ações e as reações mentais, que determinam vibrações criativas, por meio do pensamento ou da palavra, considerando-se o encéfalo como poderosa estação emissora e receptora e a boca por valioso alto-falante. Tais estímulos se expressam ainda pelo mecanismo das mãos e dos pés ou pelas impressões dos sentidos e dos órgãos, que trabalham na feição de guindastes e condutores, transformadores e analistas, sob o comando direto da mente.

A elucidação não podia ser mais simples, contudo oferecia oportunidade a mais amplas indagações. **5.6**

— Temos então aqui a técnica do próprio pensamento? — perguntou Hilário, com interesse.

— Não tanto — adiantou o interlocutor —; o pensamento que nos é exclusivo flui incessantemente de nosso campo cerebral, tanto quanto as ondas magnéticas e caloríficas que nos são particulares, e usamo-lo normalmente, acionando os recursos de que dispomos.

— Não será, porém, tão fácil estabelecer a diferença entre a criação mental que nos pertence e aquela que se nos incorpora à cabeça... — ponderou meu colega intrigado.

— Sua afirmativa carece de base — exclamou o assistente. — Qualquer pessoa que saiba manejar a própria atenção observará a mudança, uma vez que o nosso pensamento vibra em certo grau de frequência, a concretizar-se em nossa maneira especial de expressão, no círculo dos hábitos e dos pontos de vista, dos modos e do estilo que nos são peculiares.

E, bem-humorado, comentou:

— Em assuntos dessa ordem, é imprescindível muito cuidado no julgar, porque, enquanto afinamos o critério pela craveira terrena, possuímos uma vida mental quase sempre parasitária, uma vez que ocultamos a onda de pensamento que nos é própria, para refletir e agir com os preconceitos consagrados ou com a pragmática dos costumes preestabelecidos, que são cristalizações mentais no tempo, ou com as modas do dia e as opiniões dos afeiçoados que constituem fácil acomodação com o menor esforço. Basta, no entanto, nos afeiçoemos aos exercícios da meditação, ao estudo edificante e ao hábito de discernir para compreendermos onde se nos situa a faixa de pensamento, identificando com nitidez as correntes espirituais que passamos a assimilar.

5.7 Hilário pensou alguns instantes e, estampando na fisionomia o contentamento de quem fizera importante descoberta, falou satisfeito:

— Agora percebo como podem surgir fenômenos mediúnicos em comezinhas situações da vida, tanto nos feitos notáveis da genialidade, como nos dramas cotidianos...

— Sim, sim... — acentuou o orientador, agora preocupado com o tempo que a nossa palestração consumia — A mediunidade é um dom inerente a todos os seres, como a faculdade de respirar, e cada criatura assimila as forças superiores ou inferiores com as quais sintoniza. Por isso mesmo, o divino Mestre recomendou-nos oração e vigilância para não cairmos nas sugestões do mal, porque a tentação é o fio de forças vivas a irradiar-se de nós, captando os elementos que lhe são semelhantes e tecendo, assim, ao redor de nossa alma, espessa rede de impulsos, por vezes irresistíveis.

E, buscando o lugar que lhe competia nos trabalhos em andamento, ajuntou:

— Estudemos trabalhando. O tempo utilizado a serviço do próximo é bênção que entesouramos em nosso próprio favor, para sempre.

6
Psicofonia consciente

6.1   Desdobravam-se os serviços da casa, harmoniosamente.

Três guardas espirituais entraram na sala, conduzindo infeliz irmão ao socorro do grupo.

Era infortunado solteirão desencarnado que não guardava consciência da própria situação.

Incapaz de enxergar os vigilantes que o traziam, caminhava à maneira de um surdo-cego, impelido por forças que não conseguia identificar.

— É um desventurado obsessor, que acabam de remover do ambiente a que, desde muito tempo, se ajusta — informou Áulus, compadecido. — Desencarnou em plena vitalidade orgânica, depois de extenuar-se em festiva loucura. Letal intoxicação cadaverizou-lhe o corpo, quando não possuía o menor sinal de habilitação para conchegar-se às verdades do Espírito.

E como quem já conhecia as particularidades da prestação de socorro que, decerto, fora antecipadamente preparada, continuou explicando:

6.2 — Reparem. É alguém a movimentar-se nas trevas de si mesmo, trazido ao recinto sem saber o rumo tomado pelos próprios pés, como qualquer alienado mental em estado grave. Desenfaixando-se da veste de carne, com o pensamento enovelado à paixão por irmã nossa, hoje torturada enferma que sintonizou com ele a ponto de retê-lo junto de si com aflições e lágrimas, passou a vampirizar-lhe o corpo. A perda do veículo físico, na deficiência espiritual em que se achava, deixou-o integralmente desarvorado, como náufrago dentro da noite. Entretanto, adaptando-se ao organismo da mulher amada que passou a obsidiar, nela encontrou novo instrumento de sensação, vendo por seus olhos, ouvindo por seus ouvidos, muitas vezes falando por sua boca e vitalizando-se com os alimentos comuns por ela utilizados. Nessa simbiose vivem ambos há quase cinco anos sucessivos; contudo, agora, a moça subnutrida e perturbada acusa desequilíbrios orgânicos de vulto. Por haver a doente solicitado nosso concurso assistencial, somos constrangidos a duplo socorro. Para que se cure das fobias que presentemente a assaltam como reflexos da mente dele, que se vê apavorado diante das realidades do espírito, é necessário o afastamento dos fluidos que a envolvem, assim como a coluna abalada pelo abraço constringente da hera reclama limpeza em favor do reajuste.

Nesse ínterim, os condutores, obedecendo às determinações de Clementino, localizaram o sofredor ao lado de dona Eugênia.

O mentor da casa aproximou-se dela e aplicou-lhe forças magnéticas sobre o córtex cerebral, depois de arrojar vários feixes de raios luminosos sobre extensa região da glote.

Notamos que Eugênia-alma afastou-se do corpo, mantendo-se junto dele à distância de alguns centímetros, enquanto o visitante, amparado pelos amigos que o assistiam, sentava-se rente, inclinando-se sobre o equipamento mediúnico ao qual se justapunha, à maneira de alguém a debruçar-se numa janela.

6.3   Ante o quadro, recordei as operações do mundo vegetal, em que uma planta se desenvolve à custa de outra, e compreendi que aquela associação poderia ser comparada a sutil processo de enxertia neuropsíquica.

Suspiros de alívio desprenderam-se do tórax mediúnico que, por instantes, se mostrara algo agitado.

Observei que leves fios brilhantes ligavam a fronte de Eugênia, desligada do veículo físico, ao cérebro da entidade comunicante.

Porque eu lhe dirigisse um olhar de interrogação e estranheza, Áulus explicou prestimoso:

— É o fenômeno da psicofonia consciente ou trabalho dos médiuns falantes. Embora senhoreando as forças de Eugênia, o hóspede enfermo do nosso plano permanece controlado por ela, a quem se imana pela corrente nervosa, por meio da qual estará nossa irmã informada de todas as palavras que ele mentalize e pretenda dizer. Efetivamente apossa-se ele temporariamente do órgão vocal de nossa amiga, apropriando-se de seu mundo sensório, conseguindo enxergar, ouvir e raciocinar com algum equilíbrio, por intermédio das energias dela, mas Eugênia comanda, firme, as rédeas da própria vontade, agindo qual se fosse enfermeira concordando com os caprichos de um doente, no objetivo de auxiliá-lo. Esse capricho, porém, deve ser limitado, porque, consciente de todas as intenções do companheiro infortunado a quem empresta o seu carro físico, nossa amiga reserva-se o direito de corrigi-lo em qualquer inconveniência. Pela corrente nervosa, conhecer-lhe-á as palavras na formação, apreciando-as previamente, uma vez que os impulsos mentais dele lhe percutem sobre o pensamento como verdadeiras marteladas. Pode, assim, frustrar--lhe qualquer abuso, fiscalizando-lhe os propósitos e expressões, porque se trata de uma entidade que lhe é inferior, pela perturbação e pelo sofrimento em que se encontra, e a cujo nível não deve arremessar-se, se quiser ser-lhe útil. O Espírito em turvação é um alienado mental, requisitando auxílio. Nas sessões de caridade, qual a que presenciamos, o primeiro socorrista é o médium que o recebe, mas, se esse socorrista cai no padrão vibratório do necessitado que lhe roga serviço, há pouca esperança no amparo eficiente. O médium, pois, quando integrado nas responsabilidades que esposa, tem o dever de colaborar na preservação da ordem e da respeitabilidade na obra de assistência aos desencarnados, permitindo-lhes a livre manifestação apenas até o ponto em que essa manifestação não colida com a harmonia necessária ao conjunto e com a dignidade imprescindível ao recinto.

— Então — alegou Hilário —, nesses trabalhos, o médium nunca se mantém a longa distância do corpo... **6.4**

— Sim, sempre que o esforço se refira a entidades em desajuste, o medianeiro não deve ausentar-se demasiado... Com um demente em casa, o afastamento é perigoso, mas, se nosso lar está custodiado por amigos cônscios de si, podemos excursionar até muito longe, porquanto o nosso domicílio demorar-se-á guardado com segurança. No concurso aos irmãos desequilibrados, nossa presença é imperativo dos mais lógicos.

Fitou Eugênia preocupada e vigilante, ao pé do enfermo que começava a falar, e sentenciou:

— Se preciso, nossa amiga poderá retomar o próprio corpo num átimo. Acham-se ambos num consórcio momentâneo, em que o comunicante é a ação, mas no qual a médium personifica a vontade. Em todos os campos de trabalho, é natural que o superior seja responsável pela direção do inferior.

O visitante passou a destra pela face num gesto de alívio e bradou, transformado:

— Vejo! Vejo!... Mas por que encantamento me prendem aqui? Que algemas me afivelam a este móvel pesado?

E, acentuando a expressão de assombro, prosseguiu:

6.5 — Qual o objetivo desta assembleia em silêncio de funeral? Quem me trouxe? Quem me trouxe?!...

Vimos que Eugênia, fora do veículo denso, escutava todas as palavras que lhe fluíam da boca, transitoriamente ocupada pelo peregrino das sombras, arquivando-as, de maneira automática, no centro da memória.

— O sofredor — disse o assistente, convicto —, ao contato das forças nervosas da médium, revive os próprios sentidos e deslumbra-se. Queixa-se das cadeias que o prendem, cadeias essas que em cinquenta por cem decorrem da contenção cautelosa de Eugênia. Porta-se, dessa forma, como um doente controlado, qual se faz imprescindível.

— E se nossa irmã relaxasse a autoridade? — inquiriu Hilário, curioso.

— Não estaria em condições de prestar-lhe benefícios concretos, porque então teria descido ao desvairamento do mendigo de luz que nos propomos auxiliar — esclareceu o nosso instrutor, com calma.

E, numa imagem feliz para ilustrar o assunto, ajuntou:

— Um médium passivo, em tais circunstâncias, pode ser comparado à mesa de serviço cirúrgico, retendo o enfermo necessitado de concurso médico. Se o móvel especializado não possuísse firmeza e humildade, qualquer intervenção seria de todo impossível.

— Mas nossa amiga está enxergando, conscientemente, a entidade que se lhe associa ao vaso carnal, com tanta clareza quanto nós? — perguntei por minha vez, atento aos meus objetivos de aprendizado.

— No caso de Eugênia, isso não acontece — elucidou Áulus, condescendente —, porque o esforço dela na preservação das próprias energias e o interesse na prestação de auxílio com todo o coeficiente de suas possibilidades não lhe permitem a necessária concentração mental para surpreender-lhe a forma exterior. Entretanto, reproduzem-se nela as aflições e os achaques do socorrido. Sente-lhe a dor e a excitação, registrando-lhe o sofrimento e o mal-estar.

Ao passo que se dilatava nossa conversação, o comunicante gritava contundente: **6.6**

— Estaremos, porventura, num tribunal? Por que uma recepção estranha quanto esta, quando sou o importunado que comparece? A mim, Libório dos Santos, ninguém ofende sem revide...

Como se a consciência o torturasse por meio de criações interiores que não nos era dado perceber, vociferava frenético:

— Quem me acusa de haver espoliado minha mãe, lançando-a ao desamparo? Não sou culpado pelas provações dos outros... Não estarei, acaso, mais doente que ela?

Nessa altura, Hilário fixou o obsessor compadecidamente e indagou respeitoso:

— Não serão os seus padecimentos simples angústia moral?

— Não tanto assim — aclarou Áulus —; as crises morais de qualquer teor se nos refletem até no veículo de manifestação. O beneficiário desta hora tem o cérebro perispirítico dilacerado, e a flagelação que lhe invade o corpo fluídico é tão autêntica quanto a de um homem comum supliciado por um tumor intracraniano.

Demonstrando-se sumamente interessado no estudo, Hilário acentuou:

— Se fôssemos nós os companheiros encarnados, com sede de maiores conhecimentos da vida espiritual, poderíamos submetê-lo a interrogatório minucioso? Estaria em posição de identificar-se perfeitamente?

Áulus abanou levemente a cabeça e considerou:

— Nas condições em que se encontra, o cometimento não seria viável. Estamos abordando apenas um problema de caridade, que se reveste, porém, da mais elevada importância para a

Nos domínios da mediunidade | Capítulo 6

vida em si. Na hipótese de efetivarmos o tentame, conseguiríamos tão somente infrutuosa inquirição, endereçada a um alienado mental, que, por algum tempo, ainda se mostrará lesado em expressivos centros do raciocínio. Trazendo consigo a herança de uma existência desequilibrada e fortemente atraído para a mulher que o ama e de quem se fez desabrido perseguidor, a nada aspira, por agora, senão à vida parasitária junto à irmã, de cujas energias se alimenta. Envolve-a em fluidos enfermiços e nela se apoia, assim como a trepadeira que se alastra e prolifera sobre um muro... Somando tudo isso ao choque oriundo da morte, não temos o direito de esperar dele uma experiência completa de identificação pessoal.

6.7   Enquanto isso, Libório prosseguia, alucinado:

— Quem poderá suportar esta situação? Alguém me hipnotiza? Quem me fiscaliza o pensamento? Valerá restituir-me a visão, manietando-me os braços?

Fixando-o com simpatia fraterna, o assistente informou-nos:

— Queixa-se ele do controle a que é submetido pela vontade cuidadosa de Eugênia.

Ruminando as indagações que nos esfervilhavam na alma, Hilário objetou:

— Consciente a médium, qual se encontra, e ouvindo as frases do comunicante, que lhe utiliza a boca assim vigiado por ela, é possível que dona Eugênia seja assaltada por grandes dúvidas... Não poderá ser induzida a admitir que as palavras proferidas pertençam a ela mesma? Não sofrerá vacilações?

— Isso é possível — concordou o assistente —; no entanto, nossa irmã está habilitada a perceber que as comoções e as palavras desta hora não lhe dizem respeito.

— Mas... e se a dúvida a invadisse? — insistiu meu colega.

— Então — disse Áulus, cortês —, emitiria da própria mente positiva recusa, expulsando o comunicante e anulando preciosa oportunidade de serviço. A dúvida, nesse caso, seria congelante faixa de forças negativas...

Todavia, porque Raul Silva iniciara a conversação com o hóspede revoltado, o orientador amigo convidou-nos a melhor observar.

6.8

7
Socorro espiritual

7.1   Sob a influência de Clementino, que o envolvia inteiramente, Silva levantara-se e dirigia-se ao comunicante com bondade:
— Meu amigo, tenhamos calma e roguemos o amparo divino!
— Estou doente, desesperado...
— Sim, todos somos enfermos, mas não nos cabe perder a confiança. Somos filhos de nosso Pai celestial que é sempre pródigo de amor.
— É padre?
— Não. Sou seu irmão.
— Mentira. Nem o conheço...
— Somos uma só família, à frente de Deus.
O interlocutor conturbado riu-se irônico e acentuou:
— Deve ser algum sacerdote fanatizado para conversar nestes termos!...
A paciência do doutrinador sensibilizava-nos.
Não recebia Libório qual se fora defrontado por um habitante das sombras, suscetível de acordar-lhe qualquer impulso de curiosidade menos digna.

Ainda mesmo descontando o valioso concurso do mentor que o acompanhava, Raul emitia de si mesmo sincera compaixão de mistura com inequívoco interesse paternal. Acolhia o hóspede sem estranheza ou irritação, como se o fizesse a um familiar que regressasse demente ao santuário doméstico.

7.2

Talvez por essa razão o obsessor a seu turno se revelava menos agastadiço. Tão logo passou a entender-se, de algum modo, com o dirigente da casa, observamos que Eugênia se revigorava no esforço assistencial que lhe competia.

— Não sou um ministro religioso — continuava Raul, imperturbável —, mas desejo me aceite como seu amigo.

— Que irrisão! Não existem amigos quando a miséria está conosco... Dos companheiros que conheci, todos me abandonaram. Resta-me apenas Sara! Sara, que não deixarei...

Fixou a expressão de quem se detinha na lembrança da pessoa a quem se referira e acrescentou com recalcada indignação:

— Ignoro por que me entravam agora os passos. É inútil. Aliás, não sei a razão pela qual me contenho. Um homem provocado, qual me vejo, decerto deveria esbofeteá-los a todos... Afinal, que fazem aqui estes cavalheiros silenciosos e estas mulheres mudas? Que pretendem de mim?

— Estamos em prece por sua paz — falou Silva, com inflexão de bondade e carinho.

— Grande novidade! Que há de comum entre nós? Devo-lhes algo?

— Pelo contrário — exclamou o interlocutor convicto —, nós somos quem lhe deve atenção e assistência. Estamos numa instituição de serviço fraterno e é fora de dúvida que, num hospital, a ninguém será lícito inquirir da luta particular daqueles que lhe batem à porta, porque, antes de tudo, é dever da Medicina e da Enfermagem a prestação de socorro às feridas que sangram.

7.3   Ante o argumento enunciado com sinceridade e simpleza, o renitente sofredor pareceu apaziguar-se ainda mais. Jatos de energia mental, partidos de Silva, alcançavam-no agora em cheio, no tórax, como a lhe buscarem o coração.

Libório tentou falar; contudo, à maneira de um viajante que já não pode resistir à aridez do deserto, comoveu-se diante da ternura daquele inesperado acolhimento a surgir-lhe por abençoada fonte de água fresca. Surpreendido, notou que a palavra lhe falecia embargada na garganta.

Sob o sábio comando de Clementino, falou o doutrinador com afetividade ardente:

— Libório, meu irmão!

Essas três palavras foram pronunciadas com tamanha inflexão de generosidade fraternal que o hóspede não pôde sopitar o pranto que lhe subia do âmago.

Raul avançou para ele, impondo-lhe as mãos, das quais jorrava luminoso fluxo magnético, e convidou:

— Vamos orar!

Findo um minuto de silêncio, a voz do diretor da casa, sob a inspiração de Clementino, suplicou enternecidamente:

— *Divino Mestre, lança compassivo olhar sobre a nossa família aqui reunida...*

"Viajores de muitas romagens, repousamos neste instante sob a árvore bendita da prece e te imploramos amparo!

"Todos somos endividados para contigo, todos nos achamos empenhados à tua bondade infinita, à maneira de servos insolventes para com o Senhor.

"Mas, rogando-te por nós todos, pedimos particularmente agora pelo companheiro que, decerto, encaminhas ao nosso coração, qual se fora uma ovelha que torna ao aprisco ou um irmão consanguíneo que volta ao lar...

"Mestre, dá-nos a alegria de recebê-lo de braços abertos.

"Sela-nos os lábios para que lhe não perguntemos de onde vem **7.4** e descerra-nos a alma para a ventura de tê-lo conosco em paz.

"Inspira-nos a palavra a fim de que a imprudência não se imiscua em nossa língua, aprofundando as chagas interiores do irmão, e ajuda-nos a sustentar o respeito que lhe devemos...

"Senhor, estamos certos de que o acaso não te preside às determinações!

"Teu amor, que nos reserva invariavelmente o melhor, cada dia, aproxima-nos uns dos outros para o trabalho justo.

"Nossas almas são fios da vida em tuas mãos!

"Ajusta-os para que obtenhamos do Alto o favor de servir contigo!

"Nosso Libório é mais um irmão que chega de longe, de recuados horizontes do passado...

"Ó Senhor, auxilia-nos para que ele não nos encontre proferindo o teu nome em vão!..."

O visitante chorava.

Via-se, porém, com clareza, que não eram as palavras a força que o convencia, mas sim o sentimento irradiante com que eram estruturadas.

Raul Silva, sob a destra radiosa de Clementino, afigurava-se-nos aureolado de intensa luz.

— Ó Deus, que se passa comigo?! — conseguiu gritar Libório em lágrimas.

O irmão Clementino fez breve sinal a um dos assessores de nosso plano, que apressadamente acorreu, trazendo interessante peça que me pareceu uma tela de gaze tenuíssima, com dispositivos especiais, medindo por inteiro um metro quadrado aproximadamente.

O mentor espiritual da reunião manobrou pequena chave num dos ângulos do aparelho e o tecido suave se cobriu de leve massa fluídica, branquicenta e vibrátil.

Em seguida, postou-se novamente ao pé de Silva, que, controlado por ele, disse ao comunicante:

7.5 — Lembre-se, meu amigo, lembre-se! Faça um apelo à memória! Veja à frente os quadros que se desenrolarão aos nossos olhos!...
De imediato, como se tivesse a atenção compulsoriamente atraída para a tela, o visitante fixou-a e, desde esse momento, vimos com assombro que o retângulo sensibilizado exibia variadas cenas de que o próprio Libório era o principal protagonista. Recebendo-as mentalmente, Raul Silva passou a descrevê-las:
— Observe, meu amigo! É noite. Ouve-se um burburinho de algazarra a distância... Sua mãe velhinha chama-o à cabeceira e pede-lhe assistência... Está exausta... Você é o filho que lhe resta... Derradeira esperança de flagelada vida. Único arrimo... A pobre sente-se morrer. A dispneia martiriza-a... É o distúrbio cardíaco pressagiando o fim do corpo... Tem medo. Declara-se receosa da solidão, uma vez que é sábado carnavalesco e os vizinhos se ausentaram na direção dos centros festivos. Parece uma criança atemorizada... Contempla-o ansiosa e roga-lhe que fique... Você responde que sairá tão somente por alguns minutos... o bastante para trazer-lhe a medicação necessária... Em seguida, avança, rápido, para uma gaveta situada em aposento próximo e apropria-se do único dinheiro de que a enferma dispõe, algumas centenas de cruzeiros, com que você se julga habilitado a desfrutar as falsas alegrias do seu clube... Amigos espirituais de seu lar abeiram-se de você, implorando socorro em favor da doente, quase moribunda, mas você se mostra impermeável a qualquer pensamento de compaixão... Dirige algumas palavras apressadas à enferma e sai para a rua. Em plena via pública, imanta-se aos indesejáveis companheiros desencarnados com os quais se afina... entidades turbulentas, hipnotizadas pelo vício, com as quais você se arrasta ao prazer... Por três dias e quatro noites consecutivas, entrega-se à loucura, com esquecimento de todas as obrigações... Somente na madrugada de quarta-feira você volta estafado e semi-inconsciente... A velhinha, socorrida por braços

anônimos, não o reconhece mais... Aguarda, resignadamente, a morte, enquanto você se encaminha para um quarto dos fundos, na expectativa de conseguir um banho que o auxilie a refazer-se... Abre o gás e senta-se por alguns minutos, experimentando a cabeça entontecida... O corpo exige descanso depois da louca folia... A fadiga surge insopitável... Desapercebe-se de si mesmo e dorme semiembriagado, perdendo a existência, porque as emanações tóxicas lhe cadaverizam o corpo... Na manhã clara de sol, um rabecão leva-o ao necrotério, como simples suicida...

7.6 Nessa altura, o interlocutor, como se voltasse de um pesadelo, bradou desesperado:

— Oh! esta é a verdade! A verdade!... Onde está minha casa? Sara, Sara, quero minha mãe, minha mãe!...

— Acalme-se! — recomendou Raul, compadecido. — Nunca nos faltará o socorro divino! Seu lar, meu amigo, cerrou-se com os seus olhos de carne e sua genitora, de outras esferas, lhe estende os braços amorosos e santificantes...

O comunicante, vencido, caiu em lágrimas.

Tão grande lhe surgiu a crise emotiva que o mentor espiritual do grupo se apressou a desligá-lo do equipamento mediúnico, entregando-o aos vigilantes para que fosse convenientemente abrigado em organização próxima.

Libório, em fundo processo de transformação, afastou-se, tornando Eugênia à posição normal.

E, porque a tela regressasse à transparência do início, desfechei sobre o nosso orientador algumas indagações improvisadas.

Que função desempenhava aquele retângulo que eu ainda não conhecia? Que cenas eram aquelas que se haviam desdobrado céleres sob a nossa admiração?

— Aquele aparelho — informou Áulus, gentil — é um "condensador ectoplásmico". Tem a propriedade de concentrar em si os raios de força projetados pelos componentes da reunião, reproduzindo as imagens que fluem do pensamento da entidade comunicante não só para a nossa observação, mas também para a análise do doutrinador, que as recebe em seu campo intuitivo, agora auxiliado pelas energias magnéticas do nosso plano.

7.7 — Evidentemente, a engrenagem de semelhante mecanismo deve ser maravilhosa! — exclamou Hilário, sob forte impressão.

— Nada de espanto — alegou o orientador —; o hóspede espiritual apenas contempla os reflexos da mente de si mesmo, à maneira de pessoa que se examina em um espelho.

— Mas, se estamos à frente de um condensador de forças — considerei —, precisamos concluir que o êxito do trabalho depende da colaboração de todos os componentes do grupo...

— Exato — confirmou o assistente —, as energias ectoplásmicas são fornecidas pelo conjunto dos companheiros encarnados, em favor de irmãos que ainda se encontram semimaterializados nas faixas vibratórias da experiência física. Por isso mesmo, Silva e Clementino necessitam do concurso geral para que a máquina do serviço funcione tão harmoniosamente quanto seja possível. Pessoas que exteriorizem sentimentos menos dignos, equivalentes a princípios envenenados nascidos das viciações de variada espécie, perturbam enormemente as atividades dessa natureza, porquanto arrojam no condensador as sombras de que se fazem veículo, prejudicando a eficiência da assembleia e impedindo a visão perfeita da tela por parte da entidade necessitada de compreensão e de luz.

Levava-nos o assunto a diferentes inquirições, mas o nosso orientador lançou-nos um olhar discreto, como a pedir-nos silêncio e atenção.

8
Psicofonia sonambúlica

8.1   Sob a guarda de venerando amigo, que mais se nos afigurava um nume apostolar, pobre Espírito dementado varou o recinto.

Lembrava um fidalgo antigo repentinamente arrancado ao subsolo, porque os fluidos que o revestiam eram verdadeira massa escura e viscosa, cobrindo-lhe a roupagem e despedindo nauseabundas emanações.

Nenhuma das entidades sofredoras que se acotovelavam à frente exibia tão horrenda fácies.[6]

Aqui e ali, nos variados semblantes a se comprimirem no lugar reservado a irmãos menos felizes, as máscaras de sofrimento eram suavizadas por sinais inequívocos de arrependimento, fé, humildade, esperança...

Mas naquele rosto patibular, parecendo emergir dum lençol de lama, aliavam-se a frieza e a malignidade, a astúcia e o endurecimento.

---

[6] N.E.: O mesmo que face.

Ante a expressão com que surgia de inopino, os próprios **8.2** Espíritos perturbados recuaram receosos.

Na destra, o estranho recém-chegado trazia um azorrague que tentava estalar, ao mesmo tempo que proferia estrepitosas exclamações.

— Quem me faz chegar até aqui contra a minha vontade? — bramia semiafônico. — Covardes! Por que me segregarem assim? Onde estão os abutres que me devoraram os olhos? Infames! Pagar-me-ão caro os ultrajes sofridos!...

E, evidenciando o extremo desequilíbrio mental de que se fazia portador, continuava em rude tom de voz:

— Quem disse que a malfadada revolução dos franceses terá reflexos no Brasil? A loucura de um povo não pode alastrar-se por toda a Terra... Os privilégios dos nobres são invioláveis! Vêm dos reis, que são indiscutivelmente os escolhidos de Deus! Defenderemos nossas prerrogativas, exterminando a propaganda dos rebeldes e regicidas! Venderei meus escravos alfabetizados, nada de panfletos e comentários da rebelião. Como produzir sem o chicote no lombo? Cativos são cativos, senhores são senhores. E todos os fujões e criminosos conhecerão o peso dos meus braços... Matarei sem piedade. Cinco troncos de suplício! Cinco troncos! Eis aquilo de que necessito para refazer a nossa tranquilidade.

— Foi um fazendeiro desumano — esclareceu nosso orientador amigo. — Desencarnou nos últimos dias do século XVIII, mas ainda conserva a mente estagnada na concha do próprio egoísmo. Nada percebe, por enquanto, senão os quadros interiores, criados por ele mesmo, constando de escravos, dinheiro e lucros da antiga propriedade rural em que enterrou o pensamento, convertendo-se hoje em vampiro inconsciente de almas reencarnadas que lhe foram queridas no Brasil colonial. Com todo o respeito que devemos à fraternidade, podemos dizer que ele nada mais fora que desapiedado algoz dos infortunados cativos que lhe caíam sob o guante de ferro. Detentor de vastíssimo latifúndio, possuía consigo larga legião de servidores que lhe conheceram, de perto, a tirania e a perversidade.

8.3   Valendo-me da pausa espontânea, fitei o rosto do triste recém-chegado com mais atenção, reconhecendo que os seus olhos, embora móveis quanto os de um felino, estavam vidrados, mortos...

Ia apontar para aquelas órbitas inexpressivas, quando o instrutor, adivinhando-me o impulso, acrescentou:

— Odiava os trabalhadores que lhe fugiam às garras e quando conseguia arrebatá-los ao quilombo, não somente os algemava aos troncos de martírio, mas queimava-lhes os olhos, reduzindo-os à cegueira, para escarmento das senzalas. Alguns dos raros quilombolas que resistiam à morte eram sentenciados, depois de cegos, às mandíbulas de cães bravios, de cuja sanha não conseguiam escapar. Com semelhante sistema de repressão, instalou o terror em derredor dos seus passos, granjeando, então, fama e riqueza. Contudo, veio a jornada inevitável do túmulo e, nessa fase nova, não encontrou senão desafetos, a se levantarem, junto dele, na feição de temíveis perseguidores. Muitas vítimas de alma branda lhe haviam desculpado as ofensas, mas outras não conseguiram a força para o perdão espontâneo e converteram-se em vingadores do passado a lhe cumularem o espírito de aflitivo pavor. Emaranhado nas teias da usura e fazendo do ouro o único poder em que acreditava, nem de leve se sentiu transportado de um modo de vida para outro, através da morte. Crê-se num cárcere de trevas, atormentado pelos escravos, prisioneiro das próprias vítimas. Vive, assim, entre a desesperação e o remorso. Martirizado pelas reminiscências das flagelações que decretava e hipnotizado pelos algozes de agora, dos quais no pretérito foi verdugo, vê-se reduzido a extrema cegueira, por se lhe desequilibrarem no corpo espiritual as faculdades da visão.

Enquanto se nos alongava o entendimento, o infeliz era **8.4** situado junto de dona Celina.

A medida impressionou-me desfavoravelmente.

Logo dona Celina, o melhor instrumento da casa, é quem deveria acolher o indesejável comunicante?!

Reparei-lhe a luminosa auréola, contrastando com a vestimenta pestilencial do forasteiro, e deixei-me avassalar por incoercível temor.

Semelhante providência não seria o mesmo que entregar uma harpa delicada às patas de uma fera?

Áulus, porém, deu-se pressa em explicar-nos:

— Acalmem-se. O amigo dementado penetrou o templo com a supervisão e o consentimento dos mentores da casa. Quanto aos fluidos de natureza deletéria, não precisamos temê-los. Recuam instintivamente ante a luz espiritual que os fustiga ou desintegra. É por isso que cada médium possui ambiente próprio e cada assembleia se caracteriza por uma corrente magnética particular de preservação e defesa. Nuvens infecciosas da Terra são diariamente extintas ou combatidas pelas irradiações solares, e formações fluídicas, inquietantes, a todo momento são aniquiladas ou varridas do planeta pelas energias superiores do Espírito. Os raios luminosos da mente orientada para o bem incidem sobre as construções do mal, à feição de descargas elétricas. E, compreendendo-se que mais ajuda aquele que mais pode, nossa irmã Celina é a companheira ideal para o auxílio desta hora.

Indicando-a, exclamou:

— Observemos.

A médium desvencilhou-se do corpo físico, como alguém que se entregava a sono profundo, e conduziu consigo a aura brilhante de que se coroava.

Clementino não teve necessidade de socorrê-la. Parecia afeita àquele gênero de tarefa. Ainda assim, o condutor do grupo amparou-a solícito.

8.5 A nobre senhora fitou o desesperado visitante com manifesta simpatia e abriu-lhe os braços, auxiliando-o a senhorear o veículo físico, então em sombra.

Qual se fora atraído por vigoroso ímã, o sofredor arrojou-se sobre a organização física da médium, colando-se a ela instintivamente. Auxiliado pelo guardião que o trazia, sentou-se com dificuldade, afigurando-se-me intensivamente ligado ao cérebro mediúnico.

Se Eugênia revelara-se benemérita enfermeira, dona Celina surgia aos nossos olhos por abnegada mãezinha, tal a devoção afetiva para com o hóspede infortunado.

Dela partiam fios brilhantes a envolvê-lo inteiramente, e o recém-chegado, em vista disso, não obstante senhor de si, demonstrava-se criteriosamente controlado.

Assemelhava-se a um peixe em furiosa reação entre os estreitos limites de um recipiente que, em vão, procurava dilacerar.

Projetava de si estiletes de treva, que se fundiam na luz com que Celina-alma o rodeava, dedicada.

Tentava gritar impropérios, mas debalde.

A médium era um instrumento passivo no exterior; entretanto, nas profundezas do ser, mostrava as qualidades morais positivas que lhe eram conquista inalienável, impedindo aquele irmão de qualquer manifestação menos digna.

— Eu sou José Maria... — clamava o visitante, irritadíssimo, enfileirando outros nomes com o evidente intuito de lançar importância sobre a sua origem.

Amontoava reclamações, deitava reprimendas e revoltava-se exasperado; contudo, percebi que não usava palavras semelhantes às que proferira junto de nós. Achava-se como que manietado, vencido, embora prosseguisse rude e áspero.

Aparecia tão completamente implantado na organização fisiológica da medianeira, tão espontâneo e tão natural, que não sopitei as perguntas a me escorrerem céleres do pensamento.

8.6 A mediunidade falante em Celina era diversa? Eugênia e ela se haviam desligado da veste carnal durante o trabalho... Por que a primeira havia se mantido preocupada, qual enfermeira inquieta, enquanto a segunda parecia devotada tutora do irmão dementado, seguindo-o com cuidados de mãe? Por que numa delas a expectação atormentada e na outra a serena confiança?

Desculpando-nos a condição de aprendizes, Áulus passou a esclarecer-nos, enquanto Clementino e Raul Silva ampararam o comunicante, por meio de orações e frases renovadoras de incentivo ao bem.

— Celina — explicou bondoso — é sonâmbula perfeita. A psicofonia, em seu caso, se processa sem necessidade de ligação da corrente nervosa do cérebro mediúnico à mente do hóspede que o ocupa. A espontaneidade dela é tamanha na cessão de seus recursos às entidades necessitadas de socorro e carinho que não tem qualquer dificuldade para desligar-se de maneira automática do campo sensório, perdendo provisoriamente o contato com os centros motores da vida cerebral. Sua posição medianímica é de extrema passividade. Por isso mesmo, revela-se o comunicante mais seguro de si na exteriorização da própria personalidade. Isso, porém, não indica que a nossa irmã deva estar ausente ou irresponsável. Junto do corpo que lhe pertence, age na condição de mãe generosa, auxiliando o sofredor que por ela se exprime qual se fora frágil protegido de sua bondade. Atraiu-o a si, exercendo um sacrifício voluntário, que lhe é doce ao coração fraterno, e José Maria, desvairado e desditoso, imensamente inferior a ela, não lhe pôde resistir. Permanece, assim, agressivo tanto quanto é, mas vê-se controlado em suas menores expressões, porque a mente superior subordina as que se lhe situam à retaguarda, nos domínios do espírito. É por essa razão que o hóspede experimenta com rigor o domínio afetuoso da missionária que lhe dispensa amparo assistencial. Impelido a obedecer-lhe, recebe-lhe as energias mentais constringentes que o obrigam a sustentar-se em respeitosa atitude, não obstante revoltado como se encontra.

8.7 Diante da pausa que se fazia natural, reparamos que Silva conseguia franco progresso na doutrinação.

O ex-tirano rural começava a assimilar algumas réstias de luz.

Hilário, contudo, provocou a continuidade da lição, perguntando:

— Embora seja preciosa auxiliar, como vemos, não se lembrará dona Celina das palavras que o visitante pronuncia por seu intermédio?

— Se quiser, poderá recordá-las com esforço, mas, na situação em que se reconhece, não vê qualquer vantagem na retenção dos apontamentos que ouve.

— Indubitavelmente — ponderou meu colega — observamos singular diferença entre as duas médiuns que caíram em transe... Tenho a ideia de que, na psicofonia consciente, dona Eugênia exerca um controle mais direto sobre o hóspede que lhe utilizava os recursos, ao passo que dona Celina, embora vigie o companheiro que se comunica, deixa-o mais à vontade, mais livre... Caso não fosse dona Celina a trabalhadora hábil, capaz de intervir a tempo em qualquer circunstância menos agradável, não seria de preferir as faculdades de dona Eugênia?

— Sim, Hilário, você tem razão. O sonambulismo puro, quando em mãos desavisadas, pode produzir belos fenômenos, mas é menos útil na construção espiritual do bem. A psicofonia inconsciente, naqueles que não possuem méritos morais suficientes à própria defesa, pode levar à possessão, sempre nociva, e que, por isso, apenas se evidencia integral nos obsessos que se renderam às forças vampirizantes.

Hilário refletiu um momento e tornou a considerar:

— Aqui, vemos a médium fora do vaso físico, dominando mentalmente a entidade que lhe é inferior... Mas... e se fosse o contrário? Se tivéssemos aqui uma entidade intelectualmente superior senhoreando mentalmente a médium?

— Nesse caso — redarguiu o paciente interlocutor —, **8.8** Celina seria naturalmente controlada. Se o comunicante fosse, nessa hipótese, uma inteligência degenerada e perversa, a fiscalização correria por conta dos mentores da casa e, tratando-se de um mensageiro com elevado patrimônio de conhecimento e virtude, a médium apassivar-se-ia com satisfação, porquanto lhe aproveitaria as vantagens da presença, tal como o rio se beneficia com as chuvas que caem do alto.

O instrutor ia continuar, mas Clementino solicitou-lhe o concurso para a remoção de José Maria, que, algo renovado, principiava a aceitar o serviço da prece, chegando mesmo a atingir a felicidade de chorar.

Nosso orientador passou a contribuir na assistência ao visitante, que foi novamente entregue ao amigo paternal que o trazia, a fim de internar-se em organização socorrista distante.

9
Possessão

9.1 O cavalheiro doente, na pequena fila de quatro pessoas que haviam comparecido à cata de socorro, parecia incomodado, aflito...

Articulava palavras que eu não conseguia registrar com clareza, quando o irmão Clementino, consultado por Áulus, disse, cortês, para o assistente:

— Sim, já que o esforço se destina a estudos, permitiremos a manifestação.

Percebi que o nosso orientador solicitava alguma demonstração importante.

Convidados pelo instrutor, abeiramo-nos do moço enfermo que se fazia assistir por uma senhora de cabelos grisalhos, sua própria mãezinha.

Atendendo às recomendações do supervisor, os guardas admitiram a passagem de uma entidade evidentemente aloucada, que atravessou, de chofre, as linhas vibratórias de contenção, vociferando frenética:

— Pedro! Pedro!...

Parecia ter a visão centralizada no doente, porque nada **9.2**
mais fixava além dele. Alcançando o nosso irmão encarnado,
este, de súbito, desfecha um grito agudo e cai desamparado.

A velha progenitora mal teve tempo de suavizar-lhe a queda espetacular.

De imediato, sob o comando de Clementino, Silva determinou que o rapaz fosse transferido para um leito de câmara próxima, isolando-o da assembleia.

Dona Celina foi incumbida do trabalho de assistência.

Junto dela acompanhamos o enfermo com carinhoso interesse.

As variadas tarefas do recinto prosseguiam sem quebra de ritmo, enquanto nos insulávamos no aposento para a cooperação que o caso exigia.

Pedro e o obsessor que o jugulava pareciam agora fundidos um no outro.

Eram dois contendores engalfinhados em luta feroz.

Fitando o companheiro encarnado mais detidamente, concluí que o ataque epiléptico, com toda a sua sintomatologia clássica, surgia claramente reconhecível.

O doente trazia agora a face transfigurada por indefinível palidez, os músculos jaziam tetanizados e a cabeça, exibindo os dentes cerrados, mostrava-se flectida para trás, enquanto os braços se assemelhavam a dois galhos de arvoredo quando retorcidos pela tempestade.

Dona Celina e a matrona afetuosa acomodaram-no na cama e dispunham-se à prece, quando a rigidez do corpo se fez sucedida de estranhas convulsões a se estenderem aos olhos que se moviam em reviravoltas contínuas.

A lividez do rosto deu lugar à vermelhidão que invadiu as faces congestas.

A respiração tornara-se angustiada, ao mesmo tempo que os esfíncteres se relaxaram, convertendo o enfermo em torturado vencido.

9.3   O insensível perseguidor como que se entranhara no corpo da vítima.

Pronunciava duras palavras, que somente nós outros conseguíamos assinalar, uma vez que todas as funções sensoriais de Pedro se mostravam em deplorável inibição.

Dona Celina, afagando o doente, pressentia a gravidade do mal e registrava a presença do visitante infeliz; contudo, permanecia alerta de modo a manter-se, valorosa, em condições de auxiliá-lo.

Notei-lhe a cautela para não se apassivar, a fim de seguir, por si própria, todos os trâmites do socorro.

Bondosa, tentou estabelecer um entendimento com o verdugo, mas em vão.

O desventurado continuava gritando para os nossos ouvidos, sem acolher os apelos comovedores da irmã.

— Vingar-me-ei! Vingar-me-ei! Farei justiça por minhas próprias mãos!... — bradava colérico.

Repreensões injuriosas apagavam-se na sombra, porquanto não conseguiam exteriorizar-se pelas cordas vocais da vítima, a contorcer-se.

Permanecia o cavalheiro plenamente ligado ao algoz que o tomara de inopino. O córtex cerebral apresentava-se envolvido de escura massa fluídica.

Reconhecíamos no moço incapacidade de qualquer domínio sobre si mesmo.

Acariciando-lhe a fronte suarenta, Áulus informou compadecido:

— É a possessão completa ou a epilepsia essencial.

— Nosso amigo está inconsciente? — aventurou Hilário, entre a curiosidade e o respeito.

— Sim, considerado como enfermo terrestre, está no momento sem recursos de ligação com o cérebro carnal. Todas as células do córtex sofrem o bombardeio de emissões magnéticas de natureza tóxica. Os centros motores estão desorganizados. Todo o cerebelo está empastado de fluidos deletérios. As vias do equilíbrio aparecem completamente perturbadas. Pedro temporariamente não dispõe de controle para governar-se, nem de memória comum para marcar a inquietante ocorrência de que é protagonista. Isso, porém, acontece no setor da forma de matéria densa, porque, em Espírito, está arquivando todas as particularidades da situação em que se encontra, de modo a enriquecer o patrimônio das próprias experiências.

Fitei, sensibilizado, o quadro triste e perguntei com objetivo de estudo: **9.4**

— Uma vez que nos achamos defrontados por um encarnado e por um desencarnado, jungidos um ao outro, não obstante a dolorosa condição de sofrimento em que se caracterizam, será lícito considerar o fato sob nosso exame como um transe mediúnico?

Embora ativo na tarefa assistencial, o instrutor respondeu:

— Sim, presenciamos um ataque epiléptico, segundo a definição da medicina terrestre; entretanto, somos constrangidos a identificá-lo como um transe mediúnico de baixo teor, porquanto verificamos aqui a associação de duas mentes desequilibradas, que se prendem às teias do ódio recíproco.

E, fixando o par de infelizes em contorções, acrescentou:

— Nessa aflitiva situação achava-se Pedro nas regiões inferiores, antes da presente reencarnação que lhe constitui uma bênção. Por muitos anos, ele e o adversário rolaram nas zonas purgatoriais, em franco duelo. Presentemente, melhorou. Qual ocorre em muitos processos semelhantes, os reencontros de ambos são agora mais espaçados, dando azo ao fenômeno que observamos, em razão de o rapaz ainda trazer o corpo perispirítico provisoriamente lesado em centros importantes.

9.5   Nesse ínterim, percebendo a dificuldade para atingir o obsessor com a palavra falada, dona Celina, com o auxílio de nosso orientador, formulou vibrante prece, implorando a compaixão divina para os infortunados companheiros que ali se digladiavam inutilmente.

As frases da venerável amiga libertavam jatos de força luminescente a lhe saltarem das mãos e a envolverem em sensações de alívio os participantes do conflito.

Vimos que o perseguidor, qual se houvesse aspirado alguma substância anestesiante, se desprendeu automaticamente da vítima, que repousou enfim, num sono profundo e reparador.

Guardas e socorristas conduziram o obsessor semiadormecido a um local de emergência.

E enquanto dona Celina ministrava um pouco de água fluidificada à genitora do enfermo, chorosa e assustadiça, retornávamos à conversação cordial.

— Apesar da carga doentia que suporta na atualidade, devemos aceitar o nosso Pedro na categoria de um médium? — perguntou Hilário, atencioso.

— Pela passividade com que reflete o inimigo desencarnado, será justo tê-lo nessa conta; contudo, precisamos considerar que, antes de ser um médium na acepção comum do termo, é um Espírito endividado a redimir-se.

— Mas não poderá cogitar do próprio desenvolvimento psíquico?

O assistente sorriu e observou:

— Desenvolver, em boa sinonímia, quer dizer "retirar do invólucro", "fazer progredir" ou "produzir". Assim compreendendo, é razoável que Pedro, antes de tudo, desenvolva recursos pessoais no próprio reajuste. Não se constroem paredes sólidas em bases inseguras. Necessitará, portanto, curar-se. Depois disso, então...

— Se é assim — objetou meu colega —, não resultará **9.6** infrutífera a sua frequência a esta casa?

— De modo algum. Aqui recolherá forças para refazer-se, assim como a planta raquítica encontra estímulo para a sua restauração no adubo que lhe oferecem. Dia a dia, ao contato de amigos orientados pelo Evangelho, ele e o desafeto incorporarão abençoados valores em matéria de compreensão e serviço, modificando gradativamente o campo de elaboração das forças mentais. Sobrevirá, então, um aperfeiçoamento de individualidades, a fim de que a fonte mediúnica surja, mais tarde, tão cristalina quanto desejamos. Salutares e renovadores pensamentos assimilados pela dupla de sofredores em foco expressam melhoria e recuperação para ambos, porque, na imantação recíproca em que se veem, as ideias de um reagem sobre o outro, determinando alterações radicais.

Diante da nossa atitude cismarenta, no exame das questões complexas de que nos sentíamos rodeados, o assistente ponderou:

— Aparelhos mediúnicos valiosos naturalmente não se improvisam. Como todas as edificações preciosas, reclamam esforço, sacrifício, coragem, tempo... E, sem amor e devotamento, não será possível a criação de grupos e instrumentos louváveis nas tarefas de intercâmbio.

Voltando, porém, a atenção para o doente adormecido, Áulus continuou:

— Nosso amigo está preso a significativo montante de débitos com o passado e ninguém pode avançar livremente para o amanhã sem solver os compromissos de ontem. Por esse motivo, Pedro traz consigo aflitiva mediunidade de provação. É da Lei que ninguém se emancipe sem pagar o que deve. A rigor, por isso, deve ser encarado como enfermo, requisitando carinho e tratamento.

Em seguida, como se quisesse recolher dados informativos para completar a lição, tocou a fronte de Pedro, auscultando-a demoradamente.

9.7 Decorridos alguns instantes de silêncio, informou:

— A luta vem de muito longe. Não dispomos de tempo para incursões no passado, mas, de imediato, podemos reconhecer o verdugo de hoje como vítima de ontem. Na derradeira metade do século findo, Pedro era um médico que abusava da missão de curar. Uma análise mental particularizada identificá-lo-ia em numerosas aventuras menos dignas. O perseguidor que presentemente lhe domina as energias era-lhe irmão consanguíneo, cuja esposa nosso amigo doente de agora procurou seduzir. Para isso, insinuou-se de formas diversas, além de prejudicar o irmão em todos os seus interesses econômicos e sociais, até incliná-lo à internação num hospício, onde estacionou, por muitos anos, aparvalhado e inútil, à espera da morte. Desencarnando e encontrando-o na posse da mulher, desvairou-se no ódio de que passou a nutrir-se. Martelou-lhes, então, a existência e aguardou-o além-túmulo, onde os três se reuniram em angustioso processo de regeneração. A companheira, menos culpada, foi a primeira a retornar ao mundo, onde mais tarde recebeu o médico delinquente nos braços maternais, como seu próprio filho, purificando o amor de sua alma. O irmão atraiçoado de outro tempo, todavia, ainda não encontrou forças para modificar-se e continua vampirizando-o, obstinado no ódio a que se rendeu impensadamente.

Respondendo com um olhar amigo à nossa expressão de assombro, acrescentou:

— Penetramos forçosamente no inferno que criamos para os outros, a fim de experimentarmos, por nossa vez, o fogo com que afligimos o próximo. Ninguém ilude a justiça. As reparações podem ser transferidas no tempo, mas são sempre fatais.

O ensinamento era simples; contudo, a terrível situação do enfermo fatigado e triste infundia-nos justificável espanto.

Estudando sempre, Hilário considerou:

— Se Pedro, no entanto, é ainda um médium torturado, **9.8** que poderá fazer num agrupamento como este?

O instrutor sorriu e obtemperou:

— O acaso não consta dos desígnios superiores. Não nos aproximamos uns dos outros sem razão. Decerto, nosso amigo possui aqui ligações afetivas do pretérito com o dever de auxiliá-lo. Se não pode, desse modo, ser um elemento valioso ao conjunto, de imediato, pode e precisa receber o concurso fraterno, imprescindível ao seu justo soerguimento.

— Curar-se-á, contudo, em tempo breve? — indaguei por minha vez.

— Quem sabe? — retrucou Áulus, sereno.

E, com o grave entono de quem pesa a substância das próprias palavras, prosseguiu:

— Isso dependerá muito dele e da vítima com quem se encontra endividado. A assimilação de princípios mentais renovadores determina mais altas visões da vida. Todos os dramas obscuros da obsessão decorrem da mente enfermiça. Aplicando-se com devotamento às novas obrigações de que será investido, caso persevere no campo de nossa consoladora Doutrina, sem dúvida abreviará o tempo de expiação a que se acha sujeito, uma vez que, convertendo-se ao bem, modificará o tônus mental do adversário, que se verá arrastado à própria renovação pelos seus exemplos de compreensão e renúncia, humildade e fé. Ainda assim, depois de se extinguirem os acessos de possessão, Pedro sofrerá os reflexos do desequilíbrio em que se envolveu, a se exprimirem nos fenômenos mais leves da epilepsia secundária, que emergirão, por algum tempo, ante as simples recordações mais fortes da luta que vem atravessando, até o integral reajuste do corpo perispirítico.

— E isso é trabalho de longa duração? — inquiriu Hilário, algo aflito.

9.9   Nosso interlocutor estampou significativa expressão fisionômica e ponderou:

— Quem poderá penetrar a consciência alheia? Com o esforço da vontade é possível apressar a solução de muitos enigmas e reduzir muitas dores. O assunto, porém, é de foro íntimo... Estejamos, entretanto, convencidos de que as sementes da luz jamais se perdem. Os médiuns que hoje se enlaçam a tremendas provas, se persistirem na plantação de melhores destinos, transformar-se-ão em valiosos trabalhadores no futuro que a todos aguarda em abençoadas reencarnações de engrandecimento e progresso...

E, ante a nossa admiração, concluiu:

— O problema é de aprender sem desanimar e de servir ao bem sem esmorecer.

10
Sonambulismo torturado

10.1   Tornamos ao recinto.
Dona Eugênia acaba de socorrer pobre companheiro recém-desencarnado, a retirar-se sob o fraterno controle dos vigilantes.

Fomos recebidos por Clementino, generoso, que nos aproximou de jovem senhora, concentrada em oração, seguida por distinto cavalheiro, na pequena fila dos enfermos que naquela noite receberiam assistência.

Afagando-lhe a cabeça, o supervisor notificou:

— Favoreceremos a manifestação de infeliz companheiro que a vampiriza, não somente com o objetivo de socorrê-lo, mas também com o propósito de estudarmos alguma coisa a respeito do sonambulismo torturado.

Observei a dama, ainda muito moça, inclinada para o homem irrepreensivelmente trajado que a amparava de perto.

O mentor do recinto afastou-se em tarefa de governança, mas Áulus tomou-lhe o lugar, passando a esclarecer-nos com a bondade que lhe era característica.

Indicando-nos o casal, informou: 10.2
— São ambos marido e mulher num enlace de provação redentora.

A essa altura, porém, os guardas espirituais permitiram o acesso do infortunado amigo.

Achamo-nos positivamente frente a frente com um louco desencarnado.

Perispírito denso, trazia todos os estigmas da alienação mental, indiscutível.

Olhar turvo, fisionomia congesta, indisfarçável inquietação...

A presença dele inspiraria repugnância e terror aos menos afeitos à enfermagem.

Além da cabeça ferida, mostrava extensa úlcera na garganta.

Precipitou-se para a jovem doente, à maneira de um grande felino sobre a presa.

A simpática senhora começou a gritar transfigurada.

Não se afastara espiritualmente do corpo.

Era ela própria a contorcer-se, em pranto convulsivo, envolta, porém, no amplexo fluídico da entidade que lhe empolgava o campo fisiológico integralmente.

Lágrimas quentes lhe corriam dos olhos semicerrados, o organismo relaxara-se como embarcação à matroca e a respiração se tornara sibilante e opressa.

Tentava falar, contudo a voz era um assobio desagradável.

As cordas vocais revelavam-se incapazes de articular qualquer frase inteligível.

Raul, sob o comando de Clementino, abeirou-se da dupla em aflitivo reencontro e aplicou energias magnéticas sobre o tórax da médium, que conseguiu expressar-se em clamores roufenhos:

— Filha desnaturada!... Criminosa! Criminosa!... Nada te salva! Descerás comigo às trevas para que me partilhes a dor...

Não quero socorro... Quero estar contigo para que estejas comigo! Não te perdoarei, não te perdoarei!...

10.3 E, do pranto convulso, passava incompreensivelmente a gargalhadas de vingador.

Agora, não podíamos saber se estávamos à frente de uma vítima que se lastimava ou de um palhaço que escarnecia.

— A justiça está em mim! — prosseguia bradando por entre silvos. — Sou o advogado de minha própria causa, e a desforra é o meu único recurso!

Raul, sob a inspiração do benfeitor que o acompanhava, passou a falar-lhe dos valores e vantagens da humildade e do perdão, do entendimento e do amor, procurando renovar-lhe a atitude.

E, enquanto desenvolvia o trabalho da doutrinação, buscávamos contato com o orientador diligente.

Ante as nossas primeiras perguntas, Áulus acentuou:

— É um caso doloroso como o de milhares de criaturas.

— Vê-se bem — aduziu Hilário, sob forte impressão —, que é a nossa própria irmã quem fala e gesticula...

— Sim — aprovou o assistente —; entretanto, encontra-se imantada ao companheiro espiritual, cérebro a cérebro.

— Poderá, todavia, recordar-se com precisão do que lhe sucede agora? — inquiri por minha vez.

— De modo algum. Tem as células do córtex cerebral totalmente destrambelhadas pelo desventurado amigo em sofrimento. Nos transes, em que se efetua a junção mais direta entre ela e o perseguidor dementado, cai em profunda hipnose, qual acontece à pessoa magnetizada nas demonstrações comuns de hipnotismo, e passa, de imediato, a retratar-lhe os desequilíbrios.

E, designando a garganta da médium, repentinamente avermelhada e intumescida, continuou:

— Nesta hora, tem a glote dominada por perturbação momentânea. Não consegue exprimir-se senão em voz rouquenha, quebrando as palavras. Isso porque o nosso irmão torturado, ao qual se liga pelos laços mais íntimos, lhe transmite as próprias sensações, compelindo-a a copiar-lhe o modo de ser.

10.4 — Tão entranhada se revela a associação de ambos — alegou Hilário — que sou levado a indagar de mim mesmo se na vida comum não serão eles, a bem dizer, duas almas num só corpo, assim como duas plantas distintas uma da outra a se desenvolverem num vaso único... Na experiência diária, vulgar, não será nossa irmã constantemente influenciada, de maneira positiva, embora indireta, pelo companheiro que a obsidia?

— Você examina o assunto com acertado critério. Nossa amiga, na equipe doméstica, é um enigma para os familiares. Moça de notável procedência, possui belas aquisições culturais; entretanto, sempre se comporta de modo chocante, evidenciando desequilíbrios ocultos. A princípio, compareciam a insatisfação e a melancolia ocasionando crises de nervos e distúrbios circulatórios. Doente desde a puberdade, em vão opinaram clínicos de renome sobre o caso, até que um cirurgião, crendo-a prejudicada por desarmonias da tireoide, submeteu-a a delicada intervenção, da qual saiu com seus padecimentos inalterados. Logo após, conheceu o cavalheiro sob nossa observação, que a desposou convencido de que o matrimônio lhe constituiria renovação salutar. Ao invés disso, porém, a situação se lhe agravou. A gravidez cedo se verificou, consoante a planificação de serviço traçada na vida superior. Nossa irmã doente deveria receber o perseguidor nos braços maternos, afagando-lhe a transformação e auxiliando-lhe a aquisição de novo destino, mas, sentindo-lhe a aproximação, recolheu-se a insopitável temor, adiando o trabalho que lhe compete. Impermeável às sugestões da própria alma, provocou o aborto com rebeldia e violência. Essa frustração foi a brecha que favoreceu mais ampla influência do adversário invisível no círculo conjugal. A pobre criatura passou

Nos domínios da mediunidade | Capítulo 10

a sofrer multiplicadas crises histéricas, com súbita aversão pelo marido. Principalmente à noite, é colhida, de assalto, por fenômenos de sufocação e de angústia, amargurando o consorte desolado. Médicos foram trazidos; no entanto, os hipnóticos foram empregados em vão... Em franca demência, a enferma foi conduzida à casa de saúde; todavia, a insulina e o eletrochoque não lhe solucionaram o problema. Presentemente, atravessa um período de repouso em família, deliberando o esposo experimentar o concurso do Espiritismo.

10.5 Enquanto Silva e Clementino procuravam sossegar a médium e o comunicante, reunidos numa simbiose de extremo desespero, Hilário e eu continuávamos famintos de esclarecimento maior.

— E se ela conseguisse nova maternidade? — inquiriu meu colega, estudioso.

— Sim — concordou Áulus, convicto —, semelhante reconquista ser-lhe-á uma bênção; contudo, pela trama de sentimentos contraditórios em que se emaranhou, na fuga das obrigações que lhe cabem, não pode receber, de pronto, esse privilégio.

Lembrei-me de mulheres que se fazem mães nos hospícios, mas, analisando-me os pensamentos, o orientador explicou:

— A posição de alienada mental não lhe retira os favores da natureza, mas a crueldade meditada com que se afastou dos compromissos assumidos imprimiu certo desequilíbrio ao centro genésico. Nossas defecções mais íntimas, embora desconhecidas dos outros, prejudicam-nos o veículo sutil e não podemos trair o tempo nas reparações necessárias, ainda mesmo quando o remorso nos ajude a restaurar as boas intenções. A perfeita entrosagem dos elementos psicofísicos filia-se à mente. A vida corpórea é a síntese das irradiações da alma. Não há órgãos em harmonia sem pensamentos equilibrados, como não há ordem sem inteligência.

O serviço de socorro espiritual, porém, continuava inquietante. **10.6**
A entidade vingadora, jungida à médium, demorava-se contida pelos assessores de Clementino, ao passo que a moça, refletindo-lhe as emoções e os impulsos, tinha o peito arfante e gemia em soluços:

— Para mim não há recurso!... Sou um renegado!...

— Perdoa, meu irmão, e o caminho ser-te-á renovado — dizia Raul, com inflexão de amor. — Desculpando, somos desculpados. Todos temos dívidas... Não se inclinará, porventura, ao auxílio para que seja igualmente ajudado?

— Não posso, não posso... — chorava o infeliz.

E, à frente daquele par de Espíritos sofredores num só corpo, Áulus prosseguiu esclarecendo:

— A fim de examinar com serenidade as agruras da obsessão na mediunidade torturada, não podemos esquecer as causas do suplício de hoje a se enraizarem nas sombras de ontem. Os templos espíritas vivem repletos de dramas comoventes, que se prendem ao passado remoto e próximo.

Apontando o casal com a destra, continuou:

— O esposo de agora foi no pretérito um companheiro nocivo para a nossa irmã obsidiada, induzindo-a a envenenar o pai adotivo, hoje metamorfoseado no verdugo que a persegue. Herdeira de considerável fortuna, com testamento garantido, em sua condição de filha adotiva e única, viu que o velho tutor pretendia alterar decisões. Isso aconteceu em aristocrática mansão do século que passou. O viúvo abastado, que a criara com desvelado carinho, não concordou com a escolha feita. O moço não lhe agradava. Parecia mais interessado em pilhar-lhe as finanças que em fazer a felicidade da jovem desprevenida e insensata. Procurou, então, subtraí-la à influência do noivo, verificando que debalde lhes buscava a separação. Indignado, mobilizava medidas legais para deserdá-la, quando o rapaz, explorando a paixão de que a moça se via possuída, induziu-a a eliminá-lo por intermédio de entorpecentes contínuos. Anulado o velhinho, por duas semanas de falsa medicação, o serviço da morte foi completado por diminuta dose de corrosivo. Findo ligeiro período de luto, a jovem herdeira enriqueceu o marido ao casar-se; contudo, em pouco tempo, viu-se presa de aflitivas desilusões, porque o esposo depressa se revelou jogador inveterado e libertino confesso, relegando-a a profunda miséria moral e física. Não lhe bastou esse gênero de aniquilamento gradativo. O tutor desencarnado imantou-se a ela com desvairada fome de vingança, submetendo-a a horríveis tormentos íntimos. Em verdade, o parricídio permaneceu ignorado na Terra, mas foi registrado nos tribunais divinos e longo trabalho expiatório vem sendo levado a efeito, porquanto, ainda aqui, estamos observando esse trio de consciências entrelaçadas nos fios dilacerantes da provação redentora.

10.7 O infortunado perseguidor recolhia afetuosas admoestações de Raul Silva e, depois de breve intervalo, o assistente continuou:

— Como vemos, a tragédia de nossa irmã enferma vem de longe. Nos planos inferiores da vida espiritual, vagueou por muito tempo na faixa de ódio da vítima que se lhe fez vingativo credor e, na atualidade, em nova etapa de luta, tem o pensamento enovelado ao dele. Atravessou a infância e a puberdade experimentando-lhe o assédio a distância; todavia, quando o inimigo de outrora reapareceu na condição de marido atual, com a tarefa de ajudar a companheira e reeducá-la, e fraquejando nossa amiga nos primeiros tentames da responsabilidade maternal, o obsessor aproveitou-se do ascendente magnético sobre a pobrezinha, golpeando-lhe o equilíbrio.

Sensibilizados com o quadro de justiça a desdobrar-se sob nossos olhos, não conseguíamos fugir à indagação para melhor fixar ensinamentos.

10.8 Fixando a atenção no esposo da vítima, que a amparava carinhosamente, Hilário considerou:

— Com que, então, nosso amigo tem o seu débito a saldar para com a mulher doente...

— Sem dúvida — confirmou Áulus com grave entono —, o poder divino não nos aproxima uns dos outros sem fins justos. No matrimônio, no lar ou no círculo de serviço, somos procurados por nossas afinidades, de modo a satisfazer aos imperativos da lei de amor, seja na ampliação do bem, seja no resgate de nossas dívidas, resultantes do nosso deliberado contato com o mal. Nossa irmã sofre os efeitos do parricídio a que se entregou pelo anseio de desfrutar prazeres que lhe desajustaram o plano consciencial, e o amigo que lhe inspirou a ação deplorável é agora chamado a ajudá-la na restauração imprescindível.

Olhei penalizado o cavalheiro tristonho e pensei na frustração a que devia sentir-se preso.

Bastou a reflexão para que o orientador me explicasse solícito:

— Decerto, nosso companheiro na atualidade não se sente feliz. Recapitulando a antiga fome de sensações, abeirou-se da mulher que desposou, procurando instintivamente a sócia de aventura passional do pretérito, mas encontrou a irmã doente que o obriga a meditar e a sofrer.

— Transferindo nossos interesses de estudo para este caso — comentou Hilário —, ainda assim poderemos classificar a enferma à conta de médium?

— Como não? É um médium em aflitivo processo de reajustamento. É provável se demore ainda alguns anos na condição de doente necessitada de carinho e de amor. Encarcerada nas teias fluídicas do adversário demente, purifica-se por meio das complicações do sonambulismo torturado. Desse modo, por enquanto é um instrumento para a criação de paciência e boa vontade no grupo de trabalhadores que visitamos, mas sem qualquer perspectiva de produção imediata no campo do auxílio, uma vez que se revela extremamente necessitada de concurso fraternal.

10.9 — Naturalmente, porém — aleguei —, mesmo agora, a presença dela aqui não será inútil.

— De modo algum — acrescentou o instrutor —; primeiramente, ela e o esposo constituem valioso núcleo de trabalho em que nossos companheiros de serviço podem adestrar suas qualidades de semeadores da luz. Além disso, o impacto da doutrinação não é perdido. Noite a noite, de reunião a reunião, na intimidade da prece e dos apontamentos edificantes, o trio de almas renovar-se-á pouco a pouco. O perseguidor compreenderá a necessidade de perdão para melhorar-se, a enferma fortalecer-se-á em espírito para recuperar-se como é preciso, e o esposo adquirirá a paciência e a calma a fim de ser realmente feliz.

Nessa altura, com a colaboração de amigos espirituais da casa, o hóspede foi retirado do ambiente psíquico da jovem senhora, que voltou à normalidade, e, atendendo-nos à inquirição, o assistente anotou bondoso:

— Quando nosso irmão Clementino convocou-nos a observar o problema, indubitavelmente quis salientar os imperativos de trabalho e tolerância, compreensão e bondade para construirmos a mediunidade completa no mundo. Médiuns repontam em toda parte; entretanto, raros já se desvencilharam do passado sombrio para servir no presente à causa comum da humanidade, sem os enigmas do caminho que lhes é particular. E como ninguém avança para diante, com a serenidade possível, sem pagar os tributos que deve à retaguarda, saibamos tolerar e ajudar, edificando com o bem...

A conversação, contudo, foi interrompida.

Clementino, diligente, chamava-nos a cooperar em outros setores.

11
Desdobramento em serviço

11.1 Chegara a vez do médium Antônio Castro. Profundamente concentrado, denotava a confiança com que se oferecia aos objetivos de serviço.

Aproximou-se dele o irmão Clementino e, à maneira do magnetizador comum, impôs-lhe as mãos aplicando-lhe passes de longo circuito.

Castro como que adormeceu devagarinho, inteiriçando-se-lhe os membros.

Do tórax emanava com abundância um vapor esbranquiçado que, acumulando-se à feição de uma nuvem, depressa se transformou, à esquerda do corpo denso, numa duplicata do médium, em tamanho ligeiramente maior.

Nosso amigo como que se revelava mais desenvolvido, apresentando todas as particularidades de sua forma física, apreciavelmente dilatadas.

Desejei ensaiar algumas indagações; contudo, a dignidade do serviço impunha-me silêncio.

11.2 O diretor espiritual da casa submetia o medianeiro à delicada intervenção magnética que não seria lícito perturbar ou interromper.

O médium, assim desligado do veículo carnal, afastou-se dois passos, deixando ver o cordão vaporoso que o prendia ao campo somático.

Enquanto o equipamento fisiológico descansava, imóvel, Castro, tateante e assombrado, surgia, junto de nós, numa cópia estranha de si mesmo, porquanto, além de maior em sua configuração exterior, apresentava-se azulada à direita e alaranjada à esquerda.

Tentou movimentar-se; contudo, parecia sentir-se pesado e inquieto...

Clementino renovou as operações magnéticas e Castro, desdobrado, recuou, como que se justapondo novamente ao corpo físico.

Verifiquei, então, que desse contato resultou singular diferença. O corpo carnal engolira, instintivamente, certas faixas de força que imprimiam manifesta irregularidade ao perispírito, absorvendo-as de maneira incompreensível para mim.

Desde esse instante, o companheiro, fora do vaso de matéria densa, guardou o porte que lhe era característico.

Era, agora, bem ele mesmo, sem qualquer deformidade, leve e ágil, embora prosseguisse encadeado ao envoltório físico pelo laço aeriforme, que parecia mais adelgaçado e mais luminoso à medida que Castro-Espírito se movimentava em nosso meio.

Enquanto Clementino o encorajava com palavras amigas, o nosso orientador, certamente assinalando-nos a curiosidade, deu-se pressa em esclarecer:

— Com o auxílio do supervisor, o médium foi convenientemente exteriorizado. A princípio, seu perispírito ou "corpo astral" estava revestido com os eflúvios vitais que asseguram o equilíbrio entre a alma e o corpo de carne, conhecidos aqueles, em seu conjunto, como o "duplo etérico", formado por emanações neuropsíquicas que pertencem ao campo fisiológico e que, por isso mesmo, não conseguem maior afastamento da organização terrestre, destinando-se à desintegração, tanto quanto ocorre ao instrumento carnal por ocasião da morte renovadora.

Para melhor ajustar-se ao nosso ambiente, Castro devolveu essas energias ao corpo inerme, garantindo assim o calor indispensável à colmeia celular e desembaraçando-se, tanto quanto possível, para entrar no serviço que o aguarda.

11.3   — Ah! — disse Hilário, com expressão admirativa — aqui vemos, desse modo, a exteriorização da sensibilidade!...

— Sim, se algum pesquisador humano ferisse o espaço em que se situa a organização perispirítica do nosso amigo, registraria ele, de imediato, a dor do golpe que se lhe desfechasse, queixando-se disso pela língua física, porque, não obstante liberto do vaso somático, prossegue em comunhão com ele, por intermédio do laço fluídico de ligação.

Observei atentamente o médium projetado ao nosso círculo de trabalho.

Não envergava o costume azul e cinza de que se vestia no recinto, mas sim um roupão esbranquiçado e inteiriço que descia dos ombros até o solo, ocultando-lhe os pés, e dentro do qual se movia deslizante.

Áulus registrou-me as anotações íntimas e esclareceu:

— Nosso irmão, com a ajuda de Clementino, está usando as forças ectoplásmicas que lhe são próprias, acrescidas com os recursos de cooperação do ambiente em que nos achamos. Semelhantes energias transudam de nossa alma, conforme a densidade específica de nossa própria organização, variando desde a sublime fluidez da irradiação luminescente até a substância pastosa com que se operam nas crisálidas os variados fenômenos de metamorfose.

Depois de fitar o médium hesitante alguns momentos, **11.4** prosseguiu:

— Castro é ainda um iniciante no serviço. À medida que entesoure experiência, manejará possibilidades mentais avançadas, assumindo os aspectos que deseje, considerando que o perispírito é constituído de elementos maleáveis, obedecendo ao comando do pensamento, seja nascido de nossa própria imaginação, seja da imaginação de inteligências mais vigorosas que a nossa, mormente quando a nossa vontade se rende, irrefletida, à dominação de Espíritos tirânicos ou viciosos encastelados na sombra.

— Nosso amigo, então, se pudesse... — comentou Hilário, curioso.

Mas, cortando-lhe a frase, o assistente completou-a, ajuntando:

— Se pudesse pensar com firmeza fora do campo físico, se já tivesse conquistado uma boa posição de autogoverno, com facilidade imprimiria sobre as forças plásticas de que se reveste a imagem que preferisse, aparecendo ao nosso olhar como melhor lhe aprouvesse, porque é possível estampar em nós mesmos o desenho que nos agrade.

— Sim — ponderei —, importa reconhecer, contudo, que esse desenho, embora vivo, não é comparável ao vestuário em nosso plano...

Áulus percebeu que minhas indagações incluíam sempre o imperativo de maior esclarecimento para Hilário, ainda neófito em nosso campo de ação, e, talvez por isso, procurou fazer-se tão claro e minucioso quanto possível, acrescentando:

— De modo nenhum. O pensamento modelará a forma que nos inclinamos a adotar; no entanto, os apetrechos de nossa apresentação na esfera diferente de vida a que fomos trazidos, segundo vocês já conhecem, variarão em seus tipos diversos. Lembremo-nos, para exemplificar, de um homem terrestre tatuado. Terá ele escolhido um desenho pelo qual a sua forma, por algum tempo, se faz mais facilmente identificável, mas envergará a vestimenta que mais lhe atenda ao bom gosto, conforme as usanças do quadro social a que se ajusta.

11.5 E, sorrindo, acentuou:

— Pela concentração mental, qualquer Espírito se evidenciará na expressão que deseje; todavia, empregando nossa imaginação criadora, podemos e devemos mobilizar os recursos ao nosso alcance, aprimorando concepções artísticas no campo de nossas relações uns com os outros. A Arte, tanto quanto a Ciência, entre nós, é muito mais rica que no círculo dos encarnados e, por ela, a educação se processa mais eficiente, no que tange à beleza e à cultura. Assim como não podemos conceber uma sociedade terrestre digna e enobrecida tão somente composta por homens e mulheres em nudismo absoluto, embora com maravilhosos primores de tatuagem, é preciso considerar que os indivíduos de nossa comunidade, não obstante dispondo de um veículo prodigiosamente esculpido pelas forças mentais, não menoscabam as excelências do vestuário, por intermédio do qual selecionamos emoções e maneiras distintas. Não podemos esquecer que progresso é trabalho educativo. A ascensão do Espírito não seria regresso ao empirismo da taba.

Áulus silenciou.

O médium, mais à vontade fora do corpo denso, recebia as instruções que Clementino lhe administrava de modo paternal.

Dois guardas aproximaram-se dele e lhe aplicaram à cabeça um capacete em forma de antolhos.

— Para a viagem que fará — avisou-nos o assistente —, Castro não deve dispersar a atenção. Incipiente ainda nesse gênero de tarefa, precisa instrumentação adequada para reduzir a própria capacidade de observação, de modo a interferir o menos possível na tarefa a executar.

11.6 Vimos o rapaz plenamente desdobrado alçar-se ao espaço, de mãos dadas com ambos os vigilantes.

O trio volitou[7] em sentido oblíquo, sob nossa confiante expectação.

Desde esse momento, demonstrando manter segura comunhão com o veículo carnal, ouvimo-lo dizer por meio da boca física:

— Seguimos por um trilho estreito e escuro!... Oh! tenho medo, muito medo... Rodrigo e Sérgio amparam-me na excursão, mas sinto receio!... Tenho a ideia de que nos achamos em pleno nevoeiro...

Estampando no rosto sinais de angústia e estranheza, continuava:

— Que noite é esta?... A escuridão parece pesar sobre nós!... Ai de mim! Vejo formas desconhecidas agitando-se embaixo, sob nossos pés!... Quero voltar! voltar!... Não posso prosseguir!... Não suporto, não suporto!...

Mas Raul, sob a inspiração do mentor da casa, elevou o padrão vibratório do conjunto, numa prece fervorosa em que rogava do Alto forças multiplicadas para o irmão em serviço.

Junto de nós, Áulus informou:

— A oração do grupo, acompanhando-o na excursão e transmitida a ele de imediato, constitui-lhe abençoado tônico espiritual.

— Ah! sim, meus amigos — prosseguia Castro, qual se o corpo físico lhe fosse um aparelho radiofônico para comunicações a distância —, a prece de vocês atua sobre mim como se fosse um chuveiro de luz... Agradeço-lhes o benefício!... Estou reconfortado... Avançarei!...

Interpretando os fatos sob nossa observação, o assistente explicou:

---

[7] N.E.: Locomoveu-se pelo ar.

11.7 — Raros Espíritos encarnados conseguem absoluto domínio de si próprios, em romagens de serviço edificante fora do carro de matéria densa. Habituados à orientação pelo corpo físico, ante qualquer surpresa menos agradável, na esfera de fenômenos inabituais, procuram instintivamente o retorno ao vaso carnal, à maneira do molusco que se refugia na própria concha, diante de qualquer impressão em desacordo com os seus movimentos rotineiros. Castro, porém, será treinado para a prestação de valioso concurso aos enfermos de qualquer posição.

Enquanto assinalávamos o apontamento, a voz do médium se elevava no ar, vigorosa e cristalina.

— Que alívio! Rompemos a barreira de trevas!... A atmosfera está embalsamada de leve aroma!... Brilham as estrelas novamente... Oh! é a cidade de luz... Torres fulgurantes elevam-se para o firmamento! Estamos penetrando um grande parque!... Oh! meu Deus, quem vejo aqui a sorrir-me!... É o nosso Oliveira! Como está diferente! Mais moço, muito mais moço...

Lágrimas copiosas banharam o rosto do médium, comovendo-nos a todos.

No gesto de quem se entregava a um abraço carinhoso, de coração a coração, o medianeiro continuou:

— Que felicidade! Que felicidade!... Oliveira, meu amigo, que saudades de você!... Por que razão teríamos ficado assim, sem a sua cooperação? Sabemos que a vontade do Senhor deve prevalecer, mas a distância tem sido para nós um tormento!... A lembrança de seu carinho vive em nossa casa. Seu trabalho permanece entre nós como inesquecível exemplo de amor cristão!... Volte! Venha incentivar-nos na sementeira do bem!... Amado amigo, nós sabemos que a morte é a própria vida; no entanto, sentimos sua falta!

A voz do viajante, que se fazia ouvir de tão longe, entrecortava-se agora de doloridos soluços.

11.8 O próprio Raul Silva mostrava igualmente os olhos marejados de pranto.

Áulus deu-nos a conhecer quanto ocorria.

— Oliveira foi um abnegado trabalhador neste santuário do Evangelho — explicou. — Desencarnou há dias, e Castro, com aquiescência dos orientadores, foi apresentar-lhe as afetuosas saudações dos companheiros. Demora-se em refazimento, ainda inapto a comunicação mais íntima com os irmãos que ficaram, mas poderá enviar a sua mensagem por intermédio do companheiro que o visita.

— Abrace-me, sim, querido amigo! — prosseguia Castro, com inenarrável inflexão de ternura fraterna. — Estou pronto!... Direi o que você deseja... Fale e repetirei!...

E, recompondo-se, na atitude de quem se devia fazer intermediário digno, modificou a expressão fisionômica, falando cadenciadamente para os circunstantes:

— Meus amigos, que o Senhor lhes pague. Estou bem, mas na posição do convalescente, incapaz de caminhada mais difícil... Sinto-me reconfortado, quase feliz! Indiscutivelmente, não mereço as dádivas recebidas, pois me vejo no grande Lar, amparado por afeições inolvidáveis e sublimes! As preces do nosso grupo alcançam-me cada noite, como projeção de flores e bênçãos! Como expressar-lhes gratidão se a palavra terrestre é sempre pobre para definir os grandes sentimentos de nossa vida? Que o Pai os recompense!... Aqui, onde me encontro, vim reconhecer, mais uma vez, a minha desvalia e agora concluo que todos os nossos sacrifícios pela causa do bem são bagatelas, comparados à munificência da divina Bondade... Meus amigos, a caridade é o grande caminho! Trabalhemos!... Jesus nos abençoe!...

A voz de Castro apagou-se-lhe nos lábios e, daí a instantes, vimo-lo regressar, amparado pelos irmãos que o haviam conduzido, retomando o corpo denso com naturalidade.

11.9   Reajustando-se, qual se o vaso físico o absorvesse de inopino, acordou na esfera carnal, na posse de todas as suas faculdades normais, esfregando os olhos como quem desperta de grande sono.

O desdobramento em serviço estava findo, e, com a tarefa terminada, havíamos recolhido preciosa lição.

12
Clarividência e clariaudiência

12.1 Notei que a reunião atingia a fase terminal. Duas horas bem vividas haviam corrido céleres para nós. Raul Silva consultou o relógio e cientificou os companheiros de haver chegado o momento das preces de despedida.

Os amigos sofredores, aglomerados no recinto, poderiam receber vibrações de auxílio, enquanto os elementos do grupo recolheriam, por meio da oração, o refazimento das próprias forças.

Pequeno cântaro de vidro, com água pura, foi trazido à mesa.

E porque Hilário perguntasse se iríamos assistir a alguma cerimônia especial, o assistente explicou afável:

— Não, nada disso. A água potável destina-se a ser fluidificada. O líquido simples receberá recursos magnéticos de subido valor para o equilíbrio psicofísico dos circunstantes.

Com efeito, mal acabávamos de ouvir o apontamento, **12.2** Clementino se abeirou do vaso e, de pensamento em prece, aos poucos se nos revelou coroado de luz.

Daí a instantes, de sua destra espalmada sobre o jarro, partículas radiosas eram projetadas sobre o líquido cristalino que as absorvia de maneira total.

— Por intermédio da água fluidificada — continuou Áulus —, precioso esforço de medicação pode ser levado a efeito. Há lesões e deficiências no veículo espiritual a se estamparem no corpo físico que somente a intervenção magnética consegue aliviar, até que os interessados se disponham à própria cura.

O assistente silenciou, porquanto a palavra de Silva se fez ouvir, recomendando aos médiuns observassem, por intermédio da vidência e da audição, os ensinamentos que porventura fossem, naquela noite, ministrados ao grupo pelos amigos espirituais da casa.

Reparamos que Celina, Eugênia e Castro aguçaram as suas atenções.

Clementino, findo o preparo da água medicamentosa, consagrou-lhes maior carinho, aplicando-lhes passes na região frontal.

— Nosso amigo — esclareceu o assistente — procura ajudar os nossos companheiros de mediunidade, favorecendo-lhes o campo sensório. Não lhes convêm, por agora, a clarividência e a clariaudiência demasiado abertas. Na esfera dos Espíritos reencarnados, há que dosar observações para que não venhamos a ferir os impositivos da ordem. Cada qual de nós deve estar em sua faixa de serviço, fazendo o melhor ao seu alcance. Imaginemos um aparelho radiofônico terrestre coletando todas as espécies de onda, em movimento de captação simultânea. O proveito e a harmonia da transmissão seriam realmente impraticáveis e não haveria propósito construtivo na mensagem. Um médium, pois, não deve demorar-se com todas as solicitações do meio em que

Nos domínios da mediunidade | Capítulo 12

se situa, sob pena de arrojar as suas impressões ao desequilíbrio, a menos quando, por sua própria evolução, consiga sobrepairar ao campo do trabalho, dominando as influências do meio e selecionando-as segundo o elevado critério de quem já consegue orientar-se para o bem e orientar aqueles que o acompanham.

12.3 Hilário refletiu um momento e indagou:

— Os trabalhos mediúnicos, porém, são rigorosamente iguais nos três instrumentos sob nosso exame?

— Isso não. O círculo de percepção varia em cada um de nós. Há diferentes gêneros de mediunidade; contudo, importa reconhecer que cada Espírito vive em determinado degrau de crescimento mental e, por isso, as equações do esforço mediúnico diferem de indivíduo para indivíduo, tanto quanto as interpretações da vida se modificam de alma para alma. As faculdades medianímicas podem ser idênticas em pessoas diversas; entretanto, cada pessoa tem a sua maneira particular de empregá-las. Um modelo, em muitas ocasiões, é o mesmo para grande assembleia de pintores; todavia, cada artista fixá-lo-á na tela a seu modo. Uma lâmpada exibirá claridade lirial em jato contínuo, mas, se essa claridade for filtrada por focos múltiplos, decerto estará submetida à cor e ao potencial de cada um desses filtros, embora continue sendo sempre a mesma lâmpada a fulgurar em seu campo central de ação. Mediunidade é sintonia e filtragem. Cada Espírito vive entre as forças com as quais se combina, transmitindo-as segundo as concepções que lhe caracterizam o modo de ser.

Notando o cuidado que o irmão Clementino empregava na preparação dos médiuns, meu colega inquiriu ainda:

— A clarividência e a clariaudiência acaso estão localizadas exclusivamente nos olhos e nos ouvidos da criatura reencarnada?

Áulus acariciou-lhe a cabeça e acentuou:

— Hilário, vê-se que você está começando a jornada no conhecimento superior. Os olhos e os ouvidos materiais estão para a vidência e para a audição como os óculos estão para os olhos e o ampliador de sons para os ouvidos — simples aparelhos de complementação. Toda percepção é mental. Surdos e cegos na experiência física, convenientemente educados, podem ouvir e ver, por meio de recursos diferentes daqueles que são vulgarmente utilizados. A onda hertziana e os raios X vão ensinando aos homens que há som e luz muito além das acanhadas fronteiras vibratórias em que eles se agitam, e o médium é sempre alguém dotado de possibilidades neuropsíquicas especiais que lhe estendem o horizonte dos sentidos.

Meu companheiro fixou o gesto de quem aproveitara a lição, mas objetou reverente: **12.4**

— Desejava, porém, saber se dona Celina, por exemplo, está enxergando o irmão Clementino e ouvindo-o tão somente pelo processo curial[8] de percepção na Terra.

— Sim, isso acontece por uma questão de costume cristalizado. Celina pensa ouvir o supervisor pelos condutos auditivos e supõe vê-lo como se o aparelho fotográfico dos olhos estivesse funcionando em conexão com o centro da memória; no entanto, isso resulta do hábito. Ainda mesmo no campo de impressões comuns, embora a criatura empregue os ouvidos e os olhos, ela vê e ouve com o cérebro, e, apesar de o cérebro usar as células do córtex para selecionar os sons e imprimir as imagens, quem vê e ouve, na realidade, é a mente. Todos os sentidos na esfera fisiológica pertencem à alma, que os fixa no corpo carnal, de conformidade com os princípios estabelecidos para a evolução dos Espíritos reencarnados na Terra.

Sorrindo, ajuntou:

— Vocês possuem uma prova disso quando o homem se encontra naturalmente desdobrado, cada noite, durante o sono,

---

[8] N.E.: De acordo com as normas; conveniente, apropriado.

vendo e ouvindo, a despeito da inatividade dos órgãos carnais, na experiência a que chamam "vida de sonho".

12.5 E, baixando o tom de voz, acrescentou:

— Somos receptores de reduzida capacidade, à frente das inumeráveis formas de energia que nos são desfechadas por todos os domínios do universo, captando apenas humilde fração delas. Em suma, nossa mente é um ponto espiritual limitado, a desenvolver-se em conhecimento e amor, na espiritualidade infinita e gloriosa de Deus.

Decorreram mais alguns instantes.

— Centralizemos mais atenção na prece, adestrando-nos para o serviço do bem!

Essa frase foi pronunciada por Clementino, em voz clara e pausada, como a oferecer uma base única para a convergência de nossas cogitações.

Atento, porém, aos nossos objetivos de estudo, acompanhei os médiuns mais diretamente interessados no apelo.

Dona Celina registrara as palavras com precisão e guardava a atitude do aluno disciplinado.

Dona Eugênia assimilara-as, em forma de ordem intuitiva, e mostrava-se na condição do aprendiz criterioso.

Castro, contudo, não as recolhera nem de leve.

Com permissão do supervisor, pusemo-nos em tarefa de análise.

Observei que sutilmente ligados à faixa fluídica de Clementino, os três médiuns, cada qual a seu modo, lhe acusavam a presença.

Dona Celina anotava-lhe os mínimos movimentos, à maneira do discípulo diante do professor; dona Eugênia lhe assinalava a vizinhança com menos facilidade, qual se o distinguisse imperfeitamente através dum lençol de nebulosidade, e Castro, embora o visse com perfeição, parecia completamente alheio à influência do instrutor.

— As possibilidades de Celina e Castro, na clarividência e na clariaudiência, são por enquanto mais vastas que em nossa irmã Eugênia — esclareceu Áulus, prestimoso. — Acham-se os três levemente submetidos ao comando magnético de Clementino e podem identificar-lhe a presença com analogia de observações, porque, nas circunstâncias em que operam, estão agindo como pessoas comuns, utilizando-se da percepção habitual.

12.6

— Entretanto — aduziu Hilário —, se o trio foi colocado sob a ordenação magnética do supervisor, por que motivo nossas amigas lhe acataram o convite, e Castro se mantém visivelmente impermeável a ele?

— O mentor do recinto exerce apenas branda influência, abdicando de qualquer pressão mais forte, suscetível de provocar viciosa imanação, em desfavor de nossos amigos — disse Áulus, convicto. — Além disso, a mente de Castro passou, de súbito, a alimentar propósitos diferentes. Incapaz de concentrar a atenção, de modo irrepreensível, na região superior do trabalho que nos compete levar a efeito, de momento não mais se revela interessado em satisfazer ao programa de Clementino, mas sim em provocar um reencontro com a progenitora desencarnada. Enxerga o orientador do conjunto, como quem é constrangido a ver alguém de passagem; todavia, sem qualquer preocupação de escutá-lo ou servi-lo, confinado como se encontra às emoções do jardim doméstico. Basta a indiferença mental para que nada ouça do que mais interessa agora ao esforço coletivo da reunião.

Evidentemente desejoso de definir a lição, no quadro de nossos conhecimentos terrestres, acrescentou:

— É uma antena que se insensibilizou de improviso, recusando sintonizar-se com a onda que a procura.

Nesse instante, vimos que um companheiro simpático de nosso plano avançou do círculo de espectadores, abeirando-se de dona Celina e chamando-a, discreto.

12.7 A nobre criatura ouviu-lhe a voz, mas não se voltou para trás. Entretanto, respondeu-lhe em pensamento, numa frase que se fez perfeitamente audível para nós: "Encontrar-nos-emos mais tarde."

Áulus informou prestamente:

— É o esposo desencarnado de nossa irmã que a visita com afetuosa solicitação; contudo, disciplinada quanto é, Celina sabe renunciar ao conforto de ouvi-lo, a fim de colaborar no êxito da reunião com maior segurança.

Logo após, vimos Castro desdobrar-se de novo, auxiliado agora simplesmente pelo forte desejo de ausentar-se do círculo e, revestido das emanações que lhe desfiguravam o perispírito, caminhou, hesitante, ao encontro de uma entidade amiga que o aguardava a pequena distância.

— Nosso cooperador — falou o assistente —, menos habituado à disciplina edificante, julga que já fez o possível em favor dos trabalhos programados para esta noite e põe-se no encalço da mãezinha, que vem sendo beneficiada em nossa organização.

Não nos foi, porém, possível alongar anotações.

Clementino, à cabeceira da assembleia, estendeu os braços e colocou-se em prece.

Cintilações de safirino esplendor revestiam-lhe agora o busto, dando-nos a impressão de que o abnegado benfeitor se convertera num anjo sem asas.

Em momentos ligeiros, verdadeiro jorro solar desceu do Alto, coroando-lhe a fronte, e, de suas mãos, passou a irradiar-se prodigiosa fonte de luz, que nos alcançava a todos, encarnados e desencarnados, prodigalizando-nos a sensação de indescritível bem-estar.

Nada consegui dizer, não obstante as perquirições que me esfuziavam o pensamento.

O êxtase do mentor impelia-nos a respeitosa mudez.

12.8 Aqueles minutos de vibração sem palavras representavam precioso manancial de energias restauradoras para quantos lhe abrissem as portas do espírito.

É o que eu conseguia depreender pelo revigoramento de minhas próprias forças.

Terminada que foi a operação inesquecível, Raul solicitou ainda alguns instantes de tranquilidade e expectativa.

Competia ao grupo aguardar a manifestação de algum dos orientadores da casa, à guisa de instrução geral no encerramento.

Dona Celina rogou licença para notificar que vira surgir no recinto um ribeiro cristalino, em cuja corrente muitos enfermos se banhavam, e dona Eugênia seguiu-a, explicando que chegara a contemplar um edifício repleto de crianças entoando hinos de louvor a Deus.

Registramos semelhantes comunicados com surpresa.

Nada víramos ali que pudesse recordar nem de longe um córrego de águas curativas ou algum pavilhão de serviço à infância.

A sala era demasiado estreita para comportar tais cenários.

Fitando-me intrigado, Hilário parecia perguntar se as duas médiuns não estariam sob o influxo de alguma perturbação momentânea.

Assinalando-nos a estranheza, o assistente considerou, prestimoso:

— Importa não esquecer que ambas se encontram reunidas na faixa magnética de Clementino, fixando as imagens que a mente dele lhes sugere. Viram-lhe os pensamentos, relacionados com a obra de amparo aos doentes e com a formação de uma escola, que a instituição pretende, em breve, mobilizar no socorro ao próximo. Ideias elaboradas com atenção geram formas, tocadas de movimento, som e cor, perfeitamente perceptíveis por todos aqueles que se encontrem sintonizados na onda em que se expressam. Não podemos olvidar que há fenômenos de clarividência e clariaudiência que partem da observação ativa dos instrumentos mediúnicos, identificando a existência de pessoas, paisagens e coisas exteriores a eles próprios, qual acontece na percepção terrestre vulgar, e existem aqueles que decorrem da sugestão que lhes é trazida pelo pensamento criador dos amigos desencarnados ou encarnados, estímulos esses que a mente de cada médium traduz segundo as possibilidades de que dispõe, favorecendo, por isso mesmo, as mais díspares interpretações.

12.9 — Oh! — exclamou Hilário, entusiasmado — temos aí a técnica dos obsessores quando improvisam para as suas vítimas variadas impressões alucinatórias...

— Sim, sim... — confirmou o assistente. — É isso mesmo. No entanto, evitemos a conversação agora. O trabalho da reunião vai terminar.

13
Pensamento e mediunidade

13.1 O silêncio se fez profundo e respeitoso. O grupo esperava a mensagem terminal. Senti que o ambiente se fizera mais leve, mais agradável. Sobre a cabeça de dona Celina apareceu brilhante feixe de luz. Desde esse instante, vimo-la extática, completamente desligada do corpo físico, cercada de azulíneas irradiações.

Admirado com o belo fenômeno, enderecei um gesto de interrogação ao nosso orientador, que explicou sem detença:

— Nossa irmã Celina transmitirá a palavra de um benfeitor que, apesar de ausente daqui, sob o ponto de vista espacial, entrará em comunhão conosco por meio dos fluidos teledinâmicos que o ligam à mente da médium.

— Mas isso é possível? — indagou Hilário, discretamente.

Áulus ponderou de imediato:

13.2 — Lembre-se da radiofonia e da televisão, hoje realizações amplamente conhecidas no mundo. Um homem, de cidade a cidade, pode ouvir a mensagem de um companheiro e vê-lo ao mesmo tempo, desde que ambos estejam em perfeita sintonia, pelo mesmo comprimento de onda. Celina conhece a sublimidade das forças que a envolvem e entrega-se confiante, assimilando a corrente mental que a solicita. Irradiará o comunicado-lição automaticamente, qual acontece na psicofonia sonambúlica, porque o amigo espiritual lhe encontra as células cerebrais e as energias nervosas quais teclas bem ajustadas de um piano harmonioso e dócil.

O assistente emudeceu de súbito, fixando o olhar no jato de safirina luz, que se fizera mais abundante, a espraiar-se em todos os ângulos do recinto.

Contemplei os circunstantes.

O rosto da médium refletia uma ventura misteriosa e ignorada na Terra.

O júbilo que a possuía como que contagiara todos os presentes.

Dispunha-me a prosseguir observando, mas a destra do assistente tocou-me de leve, recordando-me a quietude e o respeito.

Foi então que a voz diferenciada de dona Celina ressoou, clara e comovente, mais ou menos nestes termos:

— Meus amigos — começou a dizer o instrutor que nos acompanhava o trabalho a longa distância —, guardemos a paz que Jesus nos legou, a fim de que possamos servi-lo em paz.

"Em matéria de mediunidade, não nos esqueçamos do pensamento.

"Nossa alma vive onde se lhe situa o coração.

"Caminharemos, ao influxo de nossas próprias criações, seja onde for.

"A gravitação no campo mental é tão incisiva quanto na esfera da experiência física.

13.3 "Servindo ao progresso geral, move-se a alma na glória do bem. Emparedando-se no egoísmo, arrasta-se, em desequilíbrio, sob as trevas do mal.

"A Lei divina é o bem de todos.

"Colaborar na execução de seus propósitos sábios é iluminar a mente e clarear a vida. Opor-lhe entraves, a pretexto de acalentar caprichos perniciosos, é obscurecer o raciocínio e coagular a sombra ao redor de nós mesmos.

"É indispensável ajuizar quanto à direção dos próprios passos, de modo a evitarmos o nevoeiro da perturbação e a dor do arrependimento.

"Nos domínios do espírito não existe a neutralidade.

"Evoluímos com a luz eterna, segundo os desígnios de Deus, ou estacionamos na treva, conforme a indébita determinação de nosso 'eu'.

"Não vale encarnar-se ou desencarnar-se simplesmente. Todos os dias, as formas se fazem e se desfazem.

"Vale a renovação interior com acréscimo de visão, a fim de seguirmos à frente, com a verdadeira noção da eternidade em que nos deslocamos no tempo.

"Consciência pesada de propósitos malignos, revestida de remorsos, referta de ambições desvairadas ou denegrida de aflições não pode senão atrair forças semelhantes que a encadeiam a torvelinhos infernais.

"A obsessão é sinistro conúbio da mente com o desequilíbrio comum às trevas.

"Pensamos, e imprimimos existência ao objeto idealizado.

"A resultante visível de nossas cogitações mais íntimas denuncia a condição espiritual que nos é própria, e quantos se afinam com a natureza de nossas inclinações e desejos aproximam-se de nós pelas amostras de nossos pensamentos.

13.4 "Se persistimos nas esferas mais baixas da experiência humana, os que ainda jornadeiam nas linhas da animalidade nos procuram, atraídos pelo tipo de nossos impulsos inferiores, absorvendo as substâncias mentais que emitimos e projetando sobre nós os elementos de que se fazem portadores.

"Imaginar é criar. E toda criação tem vida e movimento, ainda que ligeiros, impondo responsabilidade à consciência que a manifesta. E como a vida e o movimento se vinculam aos princípios de permuta, é indispensável analisar o que damos, a fim de ajuizar quanto àquilo que devamos receber.

"Quem apenas mentaliza angústia e crime, miséria e perturbação poderá refletir no espelho da própria alma outras imagens que não sejam as da desarmonia e do sofrimento?

"Um viciado entre os santos não lhes reconheceria a pureza, uma vez que, alimentando-se das próprias emanações, nada conseguiria enxergar senão as próprias sombras.

"Quem vive a procurar pedras na estrada certamente não encontrará apenas calhaus subservientes.

"Quem se detém indefinidamente na medição de lama está ameaçado de afogamento no lodo.

"O viajante fascinado pelos sarçais à beira do caminho sofre o risco de enlouquecer entre os espinheiros do mato inculto.

"Vigiemos o pensamento, purificando-o no trabalho incessante do bem, para que arrojemos de nós a grilheta capaz de acorrentar-nos a obscuros processos de vida inferior.

"É da forja viva da ideia que saem as asas dos anjos e as algemas dos condenados.

"Pelo pensamento, escravizamo-nos a troncos de suplício infernal, sentenciando-nos, por vezes, a séculos de peregrinação nos trilhos da dor e da morte.

"A mediunidade torturada não é senão o enlace de almas comprometidas em aflitivas provações, nos lances do reajuste.

13.5 "E, para abreviar o tormento que flagela de mil modos a consciência reencarnada ou desencarnada, quando nas grades expiatórias, é imprescindível atender à renovação mental, único meio de recuperação da harmonia.

"Satisfazer-se alguém com o rótulo, em matéria religiosa, sem qualquer esforço de sublimação interior, é tão perigoso para a alma quanto deter uma designação honorífica entre os homens com menosprezo pela responsabilidade que ela impõe.

"Títulos de fé não constituem meras palavras, acobertando--nos deficiências e fraquezas. Expressam deveres de melhoria a que não nos será lícito fugir, sem agravo de obrigações.

"Em nossos círculos de trabalho, desse modo, não nos bastará o ato de crer e convencer.

"Ninguém é realmente espírita à altura desse nome tão só porque haja conseguido a cura de uma escabiose renitente, com o amparo de entidades amigas, e se decida, por isso, a aceitar a intervenção do Além-túmulo na sua existência; e ninguém é médium, na elevada conceituação do termo, somente porque se faça órgão de comunicação entre criaturas visíveis e invisíveis.

"Para conquistar a posição de trabalho a que nos destinamos, de conformidade com os princípios superiores que nos enaltecem o roteiro, é necessário concretizar-lhes a essência em nossa estrada, por intermédio do testemunho de nossa conversão ao amor santificante.

"Não bastará, portanto, meditar a grandeza de nosso idealismo superior. É preciso substancializar-lhe a excelsitude em nossas manifestações de cada dia.

"Os grandes artistas sabem colocar a centelha do gênio numa simples pincelada, num reduzido bloco de mármore ou na mais ingênua composição musical. As almas realmente convertidas ao Cristo lhe refletem a beleza nos mínimos gestos de cada hora, seja na emissão de uma frase curta, na ignorada cooperação em favor dos semelhantes ou na renúncia silenciosa que a apreciação terrestre não chega a conhecer.

13.6 "Nossos pensamentos geram nossos atos, e nossos atos geram pensamentos nos outros.

"Inspiremos simpatia e elevação, nobreza e bondade junto de nós, para que não nos falte amanhã o precioso pão da alegria.

"Convicção de imortalidade sem altura de Espírito que lhe corresponda será projeção de luz no deserto.

"Mediação entre dois planos diferentes sem elevação de nível moral é estagnação na inutilidade.

"O pensamento é tão significativo na mediunidade quanto o leito é importante para o rio. Ponde as águas puras sobre um leito de lama pútrida e não tereis senão a escura corrente da viciação.

"Indubitavelmente, divinas mensagens descerão do Céu à Terra. Entretanto, para isso, é imperioso construir canalização adequada.

"Jesus espera pela formação de mensageiros humanos capazes de projetar no mundo as maravilhas do seu reino.

"Para atingir esse aprimoramento ideal é imprescindível que o detentor de faculdades psíquicas não se detenha no simples intercâmbio. Ser-lhe-á indispensável a consagração de suas forças às mais altas formas de vida, buscando na educação de si mesmo e no serviço desinteressado a favor do próximo o material de pavimentação de sua própria senda.

"A comunhão com os orientadores do progresso espiritual do mundo, por meio do livro, nos enriquece de conhecimento, acentuando-nos o valor mental; e a plantação de bondade constante traz consigo a colheita de simpatia, sem a qual o celeiro da existência se reduz a furna de desespero e desânimo.

"Não basta ver, ouvir ou incorporar Espíritos desencarnados para que alguém seja conduzido à respeitabilidade.

"Irmãos ignorantes ou irresponsáveis enxameiam, como é natural, todos os departamentos da Terra, em vista da posição evolutiva deficitária em que ainda se encontram as coletividades do planeta, e, muita vez, sem qualquer raiz de perversidade propriamente dita, milhares de almas, despidas do envoltório denso, praticam o vampirismo junto dos encarnados invigilantes, simplesmente no intuito de prosseguirem coladas às sensações do campo físico, das quais não se sentem com suficiente coragem para se desvencilharem.

13.7 "Toda tarefa, para crescer, exige trabalhadores que se dediquem ao crescimento, à elevação de si mesmos.

"Isso é demasiado claro em todos os planos da natureza.

"Não há frutos na árvore nascente.

"A madeira não desbastada é incapaz de servir, com eficiência, ao santuário doméstico.

"A areia movediça não garante a sustentação.

"Não se faz luz na candeia sem óleo.

"O carro não transita com êxito onde a picareta ainda não estruturou a estrada conveniente.

"Como esperardes o pensamento divino, onde o pensamento humano se perde nas mais baixas cogitações da vida?

"Que mensageiro do Céu fará fulgir a mensagem celestial em nosso entendimento, quando o espelho de nossa alma jaz denegrido pelos mais inferiores dos interesses?

"Em vão buscaria a estrela retratar-se na lama de um charco.

"Amigos, pensemos no bem e executemo-lo.

"Tudo o que existe dentro da natureza é a ideia exteriorizada.

"O universo é a projeção da Mente divina, e a Terra, qual a conheceis em seu conteúdo político e social, é produto da mente humana.

"Civilizações e povos, culturas e experiências constituem formas de pensamento, por meio das quais evolvemos, incessantemente, para esferas mais altas.

"Atentemos, pois, para a obrigação de autoaperfeiçoamento.

"Sem compreensão e sem bondade, irmanar-nos-emos aos filhos desventurados da rebeldia.   **13.8**

"Sem estudo e sem observação, demorar-nos-emos indefinidamente entre os infortunados expoentes da ignorância.

"Amor e sabedoria são as asas com que faremos nosso voo definitivo, no rumo da perfeita comunhão com o Pai celestial.

"Escalemos o plano superior, instilando pensamentos de sublimação naqueles que nos cercam.

"A palavra esclarece.

"O exemplo arrebata.

"Ajustemo-nos ao Evangelho redentor.

"Cristo é a meta de nossa renovação.

"Regenerando a nossa existência pelos padrões dele, reestruturaremos a vida íntima daqueles que nos rodeiam.

"Meus amigos, crede!...

"O pensamento puro e operante é a força que nos arroja do ódio ao amor, da dor à alegria, da Terra ao Céu...

"Procuremos a consciência de Jesus para que a nossa consciência lhe retrate a perfeição e a beleza!...

"Saibamos refletir-lhe a glória e o amor, a fim de que a luz celeste se espelhe sobre as almas, como o esplendor solar se estende sobre o mundo.

"Comecemos nosso esforço de soerguimento espiritual desde hoje e, amanhã, teremos avançado consideravelmente no grande caminho!...

"Meus amigos, meus irmãos, rogando a Jesus que nos ampare a todos, deixo-vos com um até breve."

A voz da médium emudeceu.

Sensibilizados, reparamos que, no alto, se apagara o jorro brilhante.

Raul Silva, em prece curta, encerrou a reunião.

Enlaçamos Clementino às despedidas.

13.9 — Voltem sempre — convidou-nos gentil.

Sim, sim, continuaríamos aprendendo.

E, lado a lado com o nosso orientador, retiramo-nos, felizes, como quem sorvera a água viva da paz, na taça da alegria.

14
Em serviço espiritual

14.1   Distanciávamo-nos da instituição quando o marido desencarnado de dona Celina, cuja presença assinaláramos no decurso da reunião, se aproximou de nós.

Demonstrava conhecer nosso orientador, porque estacou ao nosso lado e exclamou:

— Meu caro assistente, por obséquio...

Áulus apresentou-nos o novo amigo:

— É o nosso irmão Abelardo Martins. Foi o esposo de nossa cooperadora Celina e vem se adaptando aos nossos regimes de ação.

Via-se, de pronto, que Abelardo não era uma entidade de escol. As maneiras e a voz traíam-lhe a condição espiritual de criatura ainda profundamente arraigada aos hábitos terrestres.

— Meu caro assistente — continuou, inquieto —, venho rogar-lhe auxílio em favor de Libório. O socorro do grupo melhorou-lhe as disposições, mas agora é a mulher que piorou, perseguindo-o...

— Conte conosco — aderiu o orientador de boa vontade —; **14.2** contudo, é importante que Celina nos ajude.

E, afagando-lhe os ombros, concluiu:

— Volte à companheira e, tão logo se desligue Celina do corpo, pela influência do sono, traga-a em sua companhia, a fim de que possamos seguir todos juntos. Aguardá-los-emos no jardim próximo.

O interlocutor afastou-se contente, enquanto penetramos enorme praça arborizada.

Detivemo-nos à espera dos companheiros, e, aproveitando os minutos, Áulus se reportou à solicitação recebida.

Abelardo interessava-se por Libório dos Santos, o primeiro comunicante daquela noite, que víramos amparado, por intermédio de dona Eugênia.

E, alongando explicações, informou-nos que o esposo de dona Celina vagueara por muito tempo, em desespero.

Na experiência física, fora um homem temperamental e não se resignara, de imediato, às imposições da morte.

Atrabiliário e voluntarioso, desencarnara muito cedo, em razão dos excessos que lhe minaram a força orgânica.

Tentou, em vão, obsidiar a esposa, cujo concurso reclamava qual se lhe fora simples serva.

Reconhecendo-se incapaz de vampirizá-la, excursionou, alguns anos, no domínio das sombras, entre Espíritos rebelados e irreverentes, até que as orações da companheira, coadjuvadas pela intercessão de muitos amigos, conseguiram demovê-lo.

Curvara-se, enfim, à evidência dos fatos.

Reconheceu a impropriedade da intemperança mental em que se comprazia e, depois de convenientemente preparado pela assistência do grupo de amigos que acabávamos de deixar, foi admitido numa organização socorrista, em que passou a servir como vigilante de irmãos desequilibrados.

14.3   Tão logo o assistente completou a rápida biografia, Hilário considerou, curioso:

— O contato com Abelardo suscita indagações interessantes... Continuará ele, porventura, em comunhão com a esposa?

— Sim — elucidou o orientador —, o amor entre ambos tem profundas raízes no pretérito.

— Apesar da diferença em que se exprimem?

— Por que não? Acaso, o Pai celestial deixa de amar-nos, não obstante as falhas com que pautamos, ainda, a vida que nos é própria?

— Realmente — concordou meu colega, um tanto desapontado —, este argumento é indiscutível. Entretanto, Abelardo religou-se à mulher?

— Perfeitamente. Nela encontra valioso incentivo ao trabalho de autorrecuperação em que estagia.

— Mas, na posição de Espírito desencarnado, chega a partilhar-lhe o templo doméstico?

— Tanto quanto lhe é possível. Por haver descido consideravelmente à indisciplina e à perturbação, ainda sofre as consequências desagradáveis do desequilíbrio a que se rendeu e, por esse motivo, o lar terreno, com a ternura da esposa, é o maior paraíso que poderá receber por enquanto. Diariamente se entrega ao serviço árduo, na obra assistencial em favor de companheiros ensandecidos, mas descansa, sempre que oportuno, no jardim familiar, ao lado da companheira. Uma vez por semana, acompanha-lhe o culto íntimo de oração, é-lhe firme associado nas tarefas mediúnicas e, todas as noites em que se sentem favorecidos pelas circunstâncias, consagram-se ambos ao trabalho de auxílio aos doentes. Não foram apenas cônjuges, conforme as disposições da carne. São infinitamente amigos e Abelardo agora procura aproveitar o tempo em benefício do seu reajuste, sonhando receber a esposa com novos títulos de elevação, quando Celina for novamente trazida à pátria espiritual.

— Isso, porém, é comum? A separação dos casais é apenas 14.4 imaginária?

— Um caso não faz regra — ponderou o assistente bem--humorado. — Onde não prevalecem as afinidades do sentimento, o matrimônio terrestre é um serviço redentor e nada mais. Na maioria das situações, a morte do corpo somente ratifica uma separação que já existia na experiência vulgar. Nesses casos, o cônjuge que abandona o envoltório físico se retira da prova a que se submeteu, à maneira do devedor que atingiu a paz do resgate. Todavia, quando os laços da alma sobrepairam às emoções da jornada humana, ainda mesmo que surja o segundo casamento para o cônjuge que se demora no mundo, a comunhão espiritual continua, sublime, em doce e constante permuta de vibrações e pensamentos.

Hilário refletiu alguns momentos e conjecturou:

— A travessia pelo túmulo impõe efetivamente ao Espírito singulares modificações... Cada viajor em sua estrada, cada coração com seu problema...

— Bem-aventurados os que se renovam para o bem! — exclamou Áulus, satisfeito. — O verdadeiro amor é a sublimação em marcha, por meio da renúncia. Quem não puder ceder a favor da alegria da criatura amada sem dúvida saberá querer com entusiasmo e carinho, mas não saberá coroar-se com a glória do amor puro. Depois da morte, habitualmente aprendemos, no sacrifício dos próprios sonhos, a ciência de amar, não segundo nossos desejos, mas de conformidade com a Lei do Senhor: mães obrigadas a entregar os filhinhos a provas de que necessitam, pais que se veem compelidos a renovar projetos de proteção à família, esposas constrangidas a entregar os maridos a outras almas irmãs, esposos que são impelidos a aceitar a colaboração das segundas núpcias no lar de que foram desalojados... Tudo isso encontramos na vizinhança da Terra. A morte é uma intimação ao entendimento fraternal... E quando lhe não aceitamos o desafio, o sofrimento é o nosso quinhão...

14.5 E, com largo sorriso, ajuntou:
— Quando o amor não sabe dividir-se, a felicidade não consegue multiplicar-se.

A conversação prosseguia valiosa e animada, quando Abelardo e Celina chegaram até nós.

Vinham reconfortados, felizes.

Em companhia da esposa, o novo amigo parecia mais leve e radiante, como se lhe absorvesse a vitalidade e a alegria.

Notei que Hilário, pela expressão fisionômica, trazia consigo um novo mundo de indagações a exteriorizar.

Contudo, Áulus advertiu:
— Sigamos! É necessário agir com presteza.

A breve tempo, penetramos nebulosa região, dentro da noite. Os astros desapareceram a nossos olhos.

Tive a impressão de que o piche gaseificado era o elemento preponderante naquele ambiente.

Em derredor, proliferavam soluços e imprecações, mas a pequenina lâmpada que Abelardo agora empunhava, auxiliando-nos, não nos permitia enxergar senão o trilho estreito que nos cabia percorrer.

Findos alguns minutos de marcha, atingimos uma construção mal iluminada, em que vários enfermos se demoravam, sob a assistência de enfermeiros atenciosos.

Entramos.

Áulus explicou que estávamos ali diante de um hospital de emergência, dos muitos que se estendem nas regiões purgatoriais.

Tudo pobreza, necessidade, sofrimento...

— Este é o meu templo atual de trabalho — disse-nos Abelardo, orgulhoso de ser ali uma peça importante na máquina de serviço.

O irmão Justino, diretor da instituição, veio até nós e **14.6** cumprimentou-nos.

Pediu escusas por lhe não ser possível acompanhar-nos. A casa jazia repleta de psicopatas desencarnados e não poderia, dessa forma, deter-se naquele momento.

Deu-nos, porém, permissão para agir com plena liberdade.

A desarmonia era efetivamente tão grande no local que não pude sopitar meu espanto.

Como cogitar de reajuste num meio atormentado quanto aquele?

O assistente, contudo, amparou-me, aclarando:

— Importa reconhecer que este pouso é um refúgio para desesperados. Segundo a reação que apresentam, são conduzidos, de pronto, a estabelecimentos de recuperação positiva ou regressam às linhas de aflição de que procedem. Aqui apenas atravessam pequeno estágio de recuperação.

Alcançáramos o leito simples em que Libório, de olhar esgazeado, se mostrava distante de qualquer interesse pela nossa presença.

Enxergava-nos impassível.

Exibia o semblante dos loucos quando transfigurados por ocultas flagelações.

Um dos guardas veio até nós e comunicou a Abelardo que o doente trazido à internação denotava crescente angústia.

Áulus auscultou-o paternalmente e, em seguida, informou:

— O pensamento da irmã encarnada que o nosso amigo vampiriza está presente nele, atormentando-o. Acham-se ambos sintonizados na mesma onda. É um caso de perseguição recíproca. Os benefícios recolhidos no grupo estão agora eclipsados pelas sugestões arremessadas de longe.

— Temos então aqui — alegei — um símile perfeito do que verificamos comumente na Terra, nos setores da mediunidade torturada. Médiuns existem que, aliviados dos vexames que recebem por parte de entidades inferiores, depressa como que lhes reclamam a presença, religando-se a elas automaticamente, embora o nosso mais sadio propósito de libertá-los.

14.7 — Sim — aprovou o orientador —, enquanto não lhes modificamos as disposições espirituais, favorecendo-lhes a criação de novos pensamentos, jazem no regime da escravidão mútua, em que obsessores e obsidiados se nutrem das emanações uns dos outros. Temem a separação, pelos hábitos cristalizados em que se associam, segundo os princípios da afinidade, e daí surgem os impedimentos para a dupla recuperação que lhes desejamos.

O doente fizera-se mais angustiado, mais pálido.

Parecia registrar uma tempestade interior, pavorosa e incoercível.

— Tudo indica a vizinhança da irmã que se lhe apoderou da mente. Nosso companheiro se revela mais dominado, mais aflito...

Mal acabara o orientador de formular o seu prognóstico e a pobre mulher, desligada do corpo físico pela atuação do sono, apareceu à nossa frente, reclamando feroz:

— Libório! Libório! Por que te ausentaste? Não me abandones! Regressemos para nossa casa! Atende, atende!...

— Que vemos? — exclamou Hilário, intrigado. — Não será esta a criatura que o serviço desta noite pretende isolar das más influências?

E porque o orientador respondesse de modo afirmativo, meu colega continuou:

— Deus de bondade! Mas não está ela interessada no reajustamento da própria saúde? Não roga socorro à instituição que frequenta?

— Isso é o que ela julga querer — explicou Áulus, cuidadoso —; entretanto, no íntimo, alimenta-se com os fluidos enfermiços do companheiro desencarnado e apega-se a ele instintivamente. Milhares de pessoas são assim. Registram doenças de variados matizes e com elas se adaptam para mais segura acomodação com o menor esforço. Dizem-se prejudicadas e inquietas; todavia, quando se lhes subtrai a moléstia de que se fazem portadoras, sentem-se vazias e padecentes, provocando sintomas e impressões com que evocam as enfermidades a se exprimirem, de novo, em diferentes manifestações, auxiliando-as a cultivar a posição de vítimas, na qual se comprazem. Isso acontece na maioria dos fenômenos de obsessão. Encarnados e desencarnados se prendem uns aos outros, sob vigorosa fascinação mútua, até que o centro de vida mental se lhes altere. É por esse motivo que, em muitas ocasiões, as dores maiores são chamadas a funcionar sobre as dores menores, com o objetivo de acordar as almas viciadas nesse gênero de trocas inferiores.

A esse tempo, a recém-chegada conseguira abeirar-se mais **14.8** intimamente de Libório, que passou a demonstrar visível satisfação. Sorria ele agora à maneira de uma criança contente.

Identificando, porém, a presença de dona Celina, a infeliz bradou colérica:

— Quem é esta mulher? Dize! Dize!...

Nossa abnegada amiga avançou para ela com simplicidade e implorou:

— Minha irmã, acalme-se! Libório está fatigado, enfermo! Ajudemo-lo a repousar!...

A interlocutora não lhe suportou o olhar doce e benigno e, longe de reconhecer a prestimosa médium do grupo a que se associara, enceguecida de ciúme, gritou para o enfermo palavras amargas, que não seria lícito reproduzir, e abandonou o recinto em desabalada carreira.

Libório mostrou evidente contrariedade. Áulus, contudo, aplicou-lhe passes, restituindo-lhe a calma.

14.9 Em seguida, o assistente nos disse amorável:

— Como vemos, a Bondade divina é tão grande que até os nossos sentimentos menos dignos são aproveitados em nossa própria defesa. O despeito da visitante, encontrando Celina junto do enfermo, dar-nos-á tréguas valiosas, uma vez que teremos algum tempo para auxiliá-lo nas reflexões necessárias.

Quando acordar no corpo carnal, pela manhã, nossa pobre amiga lembrar-se-á vagamente de haver sonhado com Libório, ao lado de uma companheira, pintando um quadro de impressões a seu bel-prazer, porquanto cada mente vê nos outros aquilo que traz em si mesma.

Abelardo estava satisfeito. Acariciava o doente, antevendo-lhe as melhoras.

Hilário, semiespantado, considerou:

— O que me assombra é reconhecer o serviço incessante por toda a parte. Na vigília e no sono, na vida e na morte...

Respondeu Áulus, sorrindo:

— Sim, a inércia é simplesmente ilusão, e a preguiça é fuga que a Lei pune com as aflições da retaguarda.

Mas nossa tarefa estava agora cumprida. E, por isso, afastamo-nos.

Daí a minutos, despedindo-nos, prometeu o assistente reencontrar-nos, para a continuidade de nossas observações, na noite seguinte.

15
Forças viciadas

15.1   Caía a noite...

Após o dia quente, a multidão desfilava na via pública, evidentemente buscando o ar fresco.

Dirigíamo-nos a outro templo espírita, em companhia de Áulus, segundo o nosso plano de trabalho, quando tivemos nossa atenção voltada para enorme gritaria.

Dois guardas arrastavam, de restaurante barato, um homem maduro em deploráveis condições de embriaguez.

O mísero esperneava e proferia palavras rudes, protestando, protestando...

— Observem o nosso infeliz irmão! — determinou o orientador.

E porque não havia muito tempo entre a porta ruidosa e o carro policial, pusemo-nos em observação.

Achava-se o pobre amigo abraçado por uma entidade da sombra, qual se um polvo estranho o absorvesse.

Num átimo, reparamos que a bebedeira alcançava os dois, **15.2** porquanto se justapunham completamente um ao outro, exibindo as mesmas perturbações.

Em breves instantes, o veículo buzinou com pressa e não nos foi possível dilatar anotações.

— O quadro daria ensejo a valiosos apontamentos...

Ante a alegação de Hilário, o assistente considerou que dispúnhamos de tempo bastante para a colheita de alguns registros interessantes e convidou-nos a entrar.

A casa de pasto regurgitava...

Muita alegria, muita gente.

Lá dentro, certo recolheríamos material adequado a expressivas lições.

Transpusemos a entrada.

As emanações do ambiente produziam em nós indefinível mal-estar.

Junto de fumantes e bebedores inveterados, criaturas desencarnadas de triste feição se demoravam expectantes.

Algumas sorviam as baforadas de fumo arremessadas ao ar, ainda aquecidas pelo calor dos pulmões que as expulsavam, nisso encontrando alegria e alimento. Outras aspiravam o hálito de alcoólatras impenitentes.

Indicando-as, informou o orientador:

— Muitos de nossos irmãos que já se desvencilharam do vaso carnal se apegam com tamanho desvario às sensações da experiência física que se cosem àqueles nossos amigos terrestres temporariamente desequilibrados nos desagradáveis costumes por que se deixam influenciar.

— Mas por que mergulhar, dessa forma, em prazeres dessa espécie?

— Hilário — disse o assistente bondoso —, o que a vida começou, a morte continua... Esses nossos companheiros situaram a mente nos apetites mais baixos do mundo, alimentando-se com um tipo de emoções que os localiza na vizinhança da animalidade. Não obstante haverem frequentado santuários religiosos, não se preocuparam em atender aos princípios da fé que abraçaram, acreditando que a existência devia ser para eles o culto de satisfações menos dignas, com a exaltação dos mais astuciosos e dos mais fortes. O chamamento da morte encontrou-os na esfera de impressões delituosas e escuras e, como é da Lei que cada alma receba da vida de conformidade com aquilo que dá, não encontram interesse senão nos lugares onde podem nutrir as ilusões que lhes são peculiares, porquanto, na posição em que se veem, temem a verdade e abominam-na, procedendo como a coruja que foge à luz.

15.3 Meu colega fez um gesto de piedade e indagou:

— Entretanto, como se transformarão?

— Chegará o dia em que a própria natureza lhes esvaziará o cálice — respondeu Áulus, convicto. — Há mil processos de reajuste no universo infinito em que se cumprem os desígnios do Senhor, chamem-se eles aflição, desencanto, cansaço, tédio, sofrimento, cárcere...

— Contudo — ponderei —, tudo indica que esses Espíritos infortunados não se enfastiarão tão cedo da loucura em que se comprazem...

— Concordo plenamente — redarguiu o instrutor —; todavia, quando não se fatiguem, a Lei poderá conduzi-los a prisão regeneradora.

— Como?

A pergunta de Hilário ecoou cristalina, e o assistente deu-se pressa em explicar:

— Há dolorosas reencarnações que significam tremenda luta expiatória para as almas necrosadas no vício. Temos, por exemplo, o mongolismo, a hidrocefalia, a paralisia, a cegueira, a epilepsia secundária, o idiotismo, o aleijão de nascença e muitos outros recursos, angustiosos embora, mas necessários, e que podem funcionar, em benefício da mente desequilibrada, desde o berço, em plena fase infantil. Na maioria das vezes, semelhantes processos de cura prodigalizam bons resultados pelas provações obrigatórias que oferecem...

— No entanto — comentei —, e se os nossos irmãos encarnados, visivelmente confiados à devassidão, resolvessem reconsiderar o próprio caminho?!... Se voltassem à regularidade, por meio da renovação mental com alicerces no bem?! **15.4**

— Ah! isso seria ganhar tempo, recuperando a si mesmos e amparando com segurança os amigos desencarnados... Usando a alavanca da vontade, atingimos a realização de verdadeiros milagres... Entretanto, para isso, precisariam despender esforço heroico.

Observando os beberrões, cujas taças eram partilhadas pelos sócios que lhes eram invisíveis, Hilário recordou:

— Ontem, visitamos um templo em que desencarnados sofredores se exprimiam por intermédio de criaturas necessitadas de auxílio, e ali estudamos algo sobre mediunidade... Aqui, vemos entidades viciosas valendo-se de pessoas que com elas se afinam numa perfeita comunhão de forças inferiores... Aqui, tanto quanto lá, seria lícito ver a mediunidade em ação?

— Sem qualquer dúvida — confirmou o orientador —; recursos psíquicos, nesse ou naquele grau de desenvolvimento, são peculiares a todos, tanto quanto o poder de locomoção ou a faculdade de respirar, constituindo forças que o Espírito encarnado ou desencarnado pode empregar no bem ou no mal de si mesmo. Ser médium não quer dizer que a alma esteja agraciada por privilégios ou conquistas feitas. Muitas vezes, é possível encontrar pessoas altamente favorecidas com o dom da mediunidade, mas dominadas, subjugadas por entidades sombrias ou delinquentes, com as quais se afinam de modo perfeito, servindo ao escândalo e à perturbação, em vez de cooperarem na extensão do bem. Por isso é que não basta a mediunidade para a concretização dos serviços que nos competem. Precisamos da Doutrina do Espiritismo, do Cristianismo puro, a fim de controlar a energia medianímica, de maneira a mobilizá-la em favor da sublimação espiritual na fé religiosa, tanto quanto disciplinamos a eletricidade em benefício do conforto na civilização.

15.5 Nisso, Áulus relanceou o olhar pelos aposentos reservados mais próximos, qual se já os conhecesse, e, fixando certa porta, convidou-nos a atravessá-la.

Seguimo-lo, ombro a ombro.

Em mesa lautamente provida com fino conhaque, um rapaz, fumando com volúpia e sob o domínio de uma entidade digna de compaixão pelo aspecto repelente em que se mostrava, escrevia, escrevia, escrevia...

— Estudemos — recomendou o orientador.

O cérebro do moço embebia-se em substância escura e pastosa que escorria das mãos do triste companheiro que o enlaçava.

Via-se-lhes a absoluta associação na autoria dos caracteres escritos.

A dupla em trabalho não nos registrou a presença.

— Neste instante — anunciou Áulus, atencioso —, nosso irmão desconhecido é hábil médium psicógrafo. Tem as células do pensamento integralmente controladas pelo infeliz cultivador de crueldade sob a nossa vista. Imanta-se-lhe à imaginação e lhe assimila as ideias, atendendo-lhe aos propósitos escusos, por meio dos princípios da indução magnética, uma vez que o rapaz, desejando produzir páginas escabrosas, encontrou quem lhe fortaleça a mente e o ajude nesse mister.

Imprimindo à voz significativa expressão, ajuntou:

— Encontramos sempre o que procuramos ser.

Finda a breve pausa que nos compeliu à reflexão, Hilário **15.6**
recomeçou:

— Todavia, será ele um médium na acepção real do termo? Será peça ativa em agrupamento espírita comum?

— Não. Não está sob qualquer disciplina espiritualizante. É um moço de inteligência vivaz, sem maior experiência da vida, manejado por entidades perturbadoras.

Após inclinar-se alguns momentos sobre os dois, o instrutor elucidou com benevolência:

— Entre as excitações do álcool e do fumo que saboreiam juntos, pretendem provocar uma reportagem perniciosa, envolvendo uma família em duras aflições. Houve um homicídio, a cuja margem aparece a influência de certa jovem, aliada às múltiplas causas em que se formou o deplorável acontecimento. O rapaz que observamos, amigo de operoso lidador da imprensa, é de si mesmo dado à malícia e, com a antena mental ligada para os ângulos mais desagradáveis do problema, ao atender um pedido de colaboração do cronista que lhe é companheiro, encontrou, no caso de que hoje se encarrega, o concurso de ferrenho e viciado perseguidor da menina em foco, interessado em exagerar-lhe a participação na ocorrência, com o fim de martelar-lhe a mente apreensiva e arrojá-la aos abusos da mocidade...

— Mas como? — indagou Hilário, espantadiço.

— O jornalista, de posse do comentário calunioso, será o veículo de informações tendenciosas ao público. A moça ver-se-á, de um instante para outro, exposta às mais desapiedadas apreciações e decerto se perturbará sobremaneira, uma vez que não se acumpliciou com o mal, na forma em que se lhe define a colaboração no crime. O obsessor, usando calculadamente o rapaz com quem se afina, pretende alcançar o noticiário de sensação, para deprimir a vida moral dela e, com isso, amolecer-lhe o caráter, trazendo-a, se possível, ao charco vicioso em que ele jaz.

15.7 — E conseguirá? — insistiu meu colega, assombrado.
— Quem sabe?

E, algo triste, o orientador acrescentou:

— Naturalmente a jovem teria escolhido o gênero de provações que atravessa, dispondo-se a lutar, com valor, contra as tentações.

— E se não puder combater com a força precisa?

— Será mais justo dizer "se não quiser", porque a Lei não nos confia problemas de trabalho superiores à nossa capacidade de solução. Assim, pois, caso não delibere guerrear a influência destrutiva, demorar-se-á por muito tempo nas perturbações a que já se encontra ligada em princípio.

— Tudo isso por quê?

A pergunta de Hilário pairou no ar por aflitiva interrogação; todavia, Áulus asserenou-nos o ânimo, elucidando:

— Indiscutivelmente, a jovem e o infeliz que a persegue estão unidos um ao outro, desde muito tempo... Terão estado juntos nas regiões inferiores da vida espiritual, antes da reencarnação com que a menina presentemente vem sendo beneficiada. Reencontrando-a na experiência física, de cujas vantagens ainda não partilha, o desventurado companheiro tenta inclíná-la, de novo, à desordem emotiva, com o objetivo de explorá-la em atuação vampirizante.

Áulus fez ligeiro intervalo, sorriu melancólico e acentuou:

— Entretanto, falar nisso seria abrir as páginas comoventes de enorme romance, desviando-nos do fim que nos propomos atingir. Detenhamo-nos na mediunidade.

Buscando aliviar a atmosfera de indagações que Hilário sempre condensava em torno de si mesmo, ponderei:

— O quadro sob nossa análise induz à meditação nos fenômenos gerais de intercâmbio em que a humanidade total se envolve sem perceber...

— Ah! sim! — concordou o orientador. — Faculdades 15.8
medianímicas e cooperação do mundo espiritual surgem por toda parte. Onde há pensamento, há correntes mentais, e onde há correntes mentais, existe associação. E toda associação é interdependência e influenciação recíproca. Daí concluímos quanto à necessidade de vida nobre, a fim de atrairmos pensamentos que nos enobreçam. Trabalho digno, bondade, compreensão fraterna, serviço aos semelhantes, respeito à natureza e oração constituem os meios mais puros de assimilar os princípios superiores da vida, porque damos e recebemos, em espírito, no plano das ideias, segundo leis universais que não conseguiremos iludir.

Em silencioso gesto com que nos recordava o dever a cumprir, o assistente convidou-nos à retirada.

Retomamos a via pública.

Mal recomeçávamos a avançar, quando passou por nós uma ambulância, em marcha vagarosa, sirenando forte para abrir caminho.

À frente, ao lado do condutor, sentava-se um homem de grisalhos cabelos a lhe emoldurarem a fisionomia simpática e preocupada. Junto dele, porém, abraçando-o com naturalidade e doçura, uma entidade em roupagem lirial lhe envolvia a cabeça em suaves e calmantes irradiações de prateada luz.

— Oh! quem será aquele homem tão bem acompanhado? — inquiriu Hilário, curioso.

Áulus sorriu e esclareceu:

— Nem tudo é energia viciada no caminho comum. Deve ser um médico em alguma tarefa salvacionista.

— Mas é espírita?

— Com todo o respeito que devemos ao Espiritismo, é imperioso lembrar que a bênção do Senhor pode descer sobre qualquer expressão religiosa — afirmou o orientador com expressivo olhar de tolerância. — Deve ser, antes de tudo, um profissional humanitário e generoso que, por seus hábitos de ajudar o próximo, se fez credor do auxílio que recebe. Não lhe bastariam os títulos de espírita e de médico para reter a influência benéfica de que se faz acompanhar. Para acomodar-se tão harmoniosamente com a entidade que o assiste, precisa possuir uma boa consciência e um coração que irradie paz e fraternidade.

15.9 — Contudo, podemos qualificá-lo como médium? — perguntou meu companheiro algo desapontado.

— Como não? — respondeu Áulus, convicto. — É médium de abençoados valores humanos, mormente no socorro aos enfermos, no qual incorpora as correntes mentais dos gênios do bem, consagrados ao amor pelos sofredores da Terra.

E, com significativa inflexão de voz, acrescentou:

— Como vemos, influências do bem ou do mal, na esfera evolutiva em que nos achamos, se estendem por todos os lados, e por todos os lados registramos a presença de faculdades medianímicas, que as assimilam segundo a direção feliz ou infeliz, correta ou indigna em que cada mente se localiza. Estudando, assim, a mediunidade nos santuários do Espiritismo com Jesus, observamos uma força realmente peculiar a todos os seres, de utilidade geral, se sob uma orientação capaz de disciplina-la e conduzi-la para o máximo aproveitamento no bem. Recordemos a eletricidade que, pouco a pouco, vai transformando a face do mundo. Não basta ser dono de poderosa cachoeira, com o potencial de milhões de cavalos-vapor. É preciso instalar, junto dela, a inteligência da usina para controlar-lhe os recursos, dinamizá-los e distribuí-los conforme as necessidades de cada um... Sem isso, a queda d'água será sempre um quadro vivo de beleza fenomênica, com irremediável desperdício.

O tempo, contudo, não nos permitia maior delonga na conversação e rumamos, desse modo, para um agrupamento em que os nossos estudos da véspera encontrariam o necessário prosseguimento.

16
Mandato mediúnico

16.1 Eram quase vinte horas quando estacamos à frente de sóbrio edifício, ladeado por vários veículos.

Muita gente ia e vinha.

Desencarnados, em grande cópia, congregavam-se no recinto e fora dele.

Vigilantes de nosso plano estendiam-se, atenciosos, impedindo o acesso de Espíritos impenitentes ou escarnecedores.

Variados grupos de pessoas ganhavam ingresso à intimidade da casa, mas no pórtico experimentavam a separação de certos Espíritos que as seguiam, Espíritos que não eram simples curiosos ou sofredores, mas blasfemadores e renitentes no mal.

Esses casos, porém, constituíam exceção, porque em maioria o séquito de irmãos desencarnados se formava de gente agoniada e enferma, tão necessitada de socorro fraterno como os doentes e aflitos que passavam a acompanhar.

Entramos.

Grande mesa, ao centro de vasta sala, encontrava-se rode- **16.2** ada de largo cordão luminoso de isolamento.

Em derredor, reservava-se ampla área, onde se acomodavam quantos careciam de assistência, encarnados ou não, área essa que se mostrava igualmente protegida por faixas de defesa magnética, sob o cuidado cauteloso de guardas pertencentes à nossa esfera de ação.

À frente, na parte oposta à entrada, vários benfeitores espirituais conferenciavam entre si e, junto deles, respeitável senhora ouvia, prestimosa, diversos pacientes.

Apresentava-se a matrona revestida por extenso halo de irradiações opalinas, e, por mais que projeções de substância sombria a buscassem, por intermédio das requisições dos sofredores que a ela se dirigiam, conservava a própria aura sempre lúcida, sem que as emissões de fluidos enfermiços lhe pudessem atingir o campo de forças.

Designando-a com a destra, o assistente informou:

— É a nossa irmã Ambrosina, que, há mais de vinte anos sucessivos, procura oferecer à mediunidade cristã o que possui de melhor na existência. Por amor ao ideal que nos orienta, renunciou às mais singelas alegrias do mundo, inclusive o conforto mais amplo do santuário doméstico, uma vez que atravessou a mocidade trabalhando, sem a consolação do casamento.

Ambrosina trazia o semblante quebrantado e rugoso, refletindo, contudo, a paz que lhe vibrava no ser.

Na cabeça, entre os cabelos grisalhos, salientava-se pequeno funil de luz, à maneira de delicado adorno.

Intrigados, consultamos a experiência de nosso orientador e o esclarecimento não se fez esperar:

— É um aparelho magnético ultrassensível com que a médium vive em constante contato com o responsável pela obra espiritual que por ela se realiza. Pelo tempo de atividade na causa

Nos domínios da mediunidade | Capítulo 16

do bem e pelos sacrifícios a que se consagrou, Ambrosina recebeu do plano superior um mandato de serviço mediúnico, merecendo, por isso, a responsabilidade de mais íntima associação com o instrutor que lhe preside às tarefas. Havendo crescido em influência, viu-se assoberbada por solicitações de múltiplos matizes. Inspirando fé e esperança a quantos se lhe aproximam do sacerdócio de fraternidade e compreensão, é, naturalmente, assediada pelos mais desconcertantes apelos.

16.3 — Vive então flagelada por petitórios e súplicas? — indagou Hilário, inevitavelmente curioso.

— Até certo ponto, sim, porque simboliza uma ponte entre dois mundos; entretanto, com a paciência evangélica, sabe ajudar os outros para que os outros se ajudem, porquanto não lhe seria possível conseguir a solução para todos os problemas que se lhe apresentam.

Abeiramo-nos da médium respeitável e modesta e vimo-la pensativa, não obstante o vozerio abafado em torno.

Não longe, o pensamento conjugado de duas pessoas exteriorizava cenas lamentáveis de um crime em que se haviam embrenhado.

E, percebendo-as, dona Ambrosina refletia, falando sem palavras, em frases audíveis tão somente em nosso meio: "Amados amigos espirituais, que fazer? Identifico nossos irmãos delinquentes e reconheço-lhes os compromissos... Um homem foi eliminado... Vejo-lhe a agonia retratada na lembrança dos responsáveis... Que estarão buscando aqui nossos infortunados companheiros, foragidos da justiça terrestre?"

Reparávamos que a médium temia perder a harmonia vibratória que lhe era peculiar.

Não desejava absorver-se em qualquer preocupação acerca dos visitantes mencionados.

Foi então que um dos mentores presentes se aproximou e tranquilizou-a:

16.4 — Ambrosina, não receie. Acalme-se. É preciso que a aflição não nos perturbe. Acostume-se a ver nossos irmãos infelizes na condição de criaturas dignas de piedade. Lembre-se de que nos achamos aqui para auxiliar, e o remédio não foi criado para os sãos. Compadeça-se, sustentando o próprio equilíbrio! Somos devedores de amor e respeito uns para com os outros e, quanto mais desventurados, de tanto mais auxílio necessitamos. É indispensável receber nossos irmãos comprometidos com o mal, como enfermos que nos reclamam carinho.

A médium aquietou-se.

Passou a conversar naturalmente com os frequentadores da casa.

Aqui, alguém desejava socorro para o coração atormentado ou pedia cooperação em benefício de parentes menos felizes. Ali, suplicava-se concurso fraterno para doentes em desespero; mais além, surgiam requisições de trabalho assistencial.

Dona Ambrosina consolava e prometia. Quando Gabriel, o orientador, chegasse, o assunto lhe seria exposto. Decerto, traria a colaboração necessária.

Não decorreram muitos minutos e Gabriel, o mais categorizado mentor da casa, deu entrada no recinto, acompanhado por grande séquito de amigos.

Acomodaram-se em palestra afetiva à frente da mesa. Aí reunidas, as entidades de vida mental mais nobre estabeleciam naturalmente larga faixa de luz inacessível às sombras que senhoreavam a maioria dos encarnados e desencarnados da grande reunião.

Gabriel e os assessores abraçaram-nos generosos.

Dir-se-ia partilhávamos brilhante festividade, tão vivo se mostrava o júbilo dos instrutores e funcionários espirituais da instituição. O trato com doentes e sofredores dos dois planos não lhes roubava a esperança, a paz, o otimismo... Compareciam ali, com o abnegado e culto orientador, a quem Áulus não regateava os seus

Nos domínios da mediunidade | Capítulo 16

testemunhos de veneração, médicos e professores, enfermeiros e auxiliares desencarnados, prontos para servir na lavoura do bem.

16.5 Irradiavam tanta beleza e alegria que Hilário, tão deslumbrado quanto eu, retornou às perguntas que lhe caracterizavam o temperamento juvenil.

Aqueles amigos, considerando as mensagens de luz e simpatia que projetavam de si mesmos, seriam altos embaixadores da divina Providência? Desfrutavam, acaso, o convívio dos santos? Viveriam em comunhão pessoal com o Cristo? Teriam alcançado a condição de seres impecáveis?

O assistente sorriu bem-humorado e esclareceu:

— Nada disso. Com todo o apreço que lhes devemos, é preciso considerar que são vanguardeiros do progresso, sem serem infalíveis. São grandes almas em abençoado processo de sublimação, credoras de nossa reverência pelo grau de elevação que já conquistaram; contudo, são Espíritos ainda ligados à humanidade terrena e em cujo seio se corporificarão, de novo, no futuro, por meio do instituto universal da reencarnação, para o desempenho de preciosas tarefas.

— No entanto, à frente da assembleia de criaturas torturadas que observamos, são eles luminares isentos de errar?

— Não — acentuou Áulus, compreensivo. — Não podemos exigir deles qualidades que somente transparecem dos Espíritos que já atingiram a sublimação absoluta. São altos expoentes de fraternidade e conhecimento superior, porém guardam ainda consigo probabilidades naturais de desacerto. Primam pela boa vontade, pela cultura e pelo próprio sacrifício no auxílio incessante aos companheiros reencarnados, mas podem ser vítimas de equívocos, que se apressam, contudo, a corrigir, sem a vaidade de que, em muitas circunstâncias, prejudica os doutos da Terra. Aqui temos, por exemplo, variados médicos sem o envoltório da experiência física. Apesar de excelentes profissionais, devotados e beneméritos na missão que esposaram, não seria, contudo, admissível fossem promovidos, de um instante para outro, da ciência fragmentária do mundo à sabedoria integral. Com a imersão nas realidades da morte, adquirem novas visões da vida, alargam-se-lhes os horizontes da observação. Compreendem que algo sabem, mas esse algo é muito pouco daquilo que lhes compete saber. Entregam-se, desse modo, a preciosas cruzadas de serviço e, dentro delas, ajudam e aprendem. Trabalhadores de outros círculos da experiência humana encontram-se no mesmo regime. Auxiliam e são auxiliados. Não poderia ser de outro modo. Sabemos que o milagre não existe como derrogação de leis da natureza. Somos irmãos uns dos outros, evolvendo juntos, em processo de interdependência, no qual se destaca o esforço individual.

16.6 Nessa altura do esclarecimento que registrávamos felizes, dona Ambrosina sentara-se ao lado do diretor da sessão, um homem de cabelos grisalhos e fisionomia simpática que havia organizado a mesa orientadora dos trabalhos com 14 pessoas, em que transpareciam a simplicidade e a fé.

Enquanto Gabriel se postava ao lado da médium, aplicando-lhe passes de longo circuito, como a prepará-la com segurança para as atividades da noite, o condutor da reunião pronunciou sentida prece.

Em seguida, foi lido um texto edificante de livro doutrinário, acompanhado por breve anotação evangélica, em cuja escolha preponderou a influência de Gabriel sobre o orientador da casa.

Da leitura global distinguia-se a paciência por tema vivo.

E, realmente, a assembleia, examinada no todo mostrava-se flagelada de problemas inquietantes, reclamando a chave da conformação para alcançar o reequilíbrio.

Dezenas e dezenas de pessoas aglomeravam-se em derredor da mesa, exibindo atribulações e dificuldades.

16.7 Estranhas formas-pensamentos surgiam de grupo a grupo, denunciando-lhes a posição mental.

Aqui, dardos de preocupação, estiletes de amargura, nevoeiros de lágrimas... Acolá, obsessores enquistados no desânimo ou no desespero, entre agressivos propósitos de vingança, agravados pelo temor do desconhecido...

Desencarnados em grande número suspiravam pelo céu, enquanto outros receavam o inferno, desajustados pela falsa educação religiosa recolhida no plano terrestre.

Vários amigos espirituais, junto aos componentes da mesa diretora, passaram a ajudá-los na predicação doutrinária, com bases no ponto evangélico da noite, espalhando, em comentários benfeitos, estímulos e consolos.

Fichas individuais não eram declinadas; entretanto percebíamos claramente que as pregações eram arremessadas ao ar, com endereço exato. Aqui, levantavam um coração caído em desalento; ali, advertiam consciências descuidadas; mais além, renovavam o perdão, a fé, a caridade, a esperança...

Não faltavam quadros impressionantes de Espíritos perseguidores, que procuravam hipnotizar as próprias vítimas, precipitando-as no sono provocado, para que não tomassem conhecimento das mensagens transformadoras, ali veiculadas pelo verbo construtivo.

Muitos médiuns funcionavam no recinto, colaborando em favor dos serviços de ordem geral a se processarem harmoniosos; todavia, observávamos que dona Ambrosina era o centro da confiança de todos e o objeto de todas as atenções.

Figurava-se, ali, o coração do santuário, dando e recebendo, ponto vivo de silenciosa junção entre os habitantes de duas esferas distintas.

Junto dela, em oração, foram colocadas numerosas tiras de papel.

Eram requerimentos, anseios e súplicas do povo, recorrendo à proteção do Além, nas aflições e aperturas da existência. **16.8**
Cada folha era um petitório agoniado, um apelo comovedor.

Entre dona Ambrosina e Gabriel destacava-se agora extensa faixa elástica de luz azulínea, e amigos espirituais, prestos na solidariedade cristã, nela entravam e, um a um, tomavam o braço da medianeira, depois de lhe influenciarem os centros corticais, atendendo, tanto quanto possível, aos problemas ali expostos.

Antes, porém, de começarem o trabalho de resposta às questões formuladas, um grande espelho fluídico foi situado junto da médium, por trabalhadores espirituais da instituição e, na face dele, com espantosa rapidez, cada pessoa ausente, nomeada nas petições da noite, surgia ante o exame dos benfeitores que, a distância, contemplavam-lhe a imagem, recolhiam-lhe os pensamentos e especificavam-lhe as necessidades, oferecendo a solução possível aos pedidos feitos.

Enquanto cultos companheiros de fé ensinavam o caminho da pacificação interior, sob a inspiração de mentores do nosso plano, dona Ambrosina, sob o comando de instrutores que se revezavam no serviço assistencial, psicografava sem descanso.

Equilibrara-se o trabalho no recinto e, com isso, entendemos que havia reaparecido ocasião adequada para as nossas indagações.

Hilário foi o primeiro na inquirição que não conseguíamos sopitar, e, indicando o enorme laço fluídico que ligava dona Ambrosina ao orientador que lhe presidia à missão, perguntou:

— Que significa essa faixa, pela qual a médium e o dirigente se associam tão intimamente um ao outro?

Áulus, com a tolerância e a benevolência habituais, elucidou:

— O desenvolvimento mais amplo das faculdades mediúnicas exige essa providência. Ouvindo e vendo, no quadro de vibrações que transcendem o campo sensório comum, Ambrosina não pode estar à mercê de todas as solicitações da esfera espiritual, sob pena de perder o seu equilíbrio. Quando o médium se evidencia no serviço do bem, pela boa vontade, pelo estudo e pela compreensão das responsabilidades de que se encontra investido, recebe apoio mais imediato de amigo espiritual experiente e sábio, que passa a guiar-lhe a peregrinação na Terra, governando-lhe as forças. No caso presente, Gabriel é o perfeito controlador das energias de nossa amiga, que só estabelece contato com o plano espiritual de conformidade com a supervisão dele.

16.9 — Quer dizer que para efetuarmos uma comunicação por intermédio da senhora sob nosso estudo, será preciso sintonizar com ela e com o orientador ao mesmo tempo?

— Justamente — respondeu Áulus, satisfeito. — Um mandato mediúnico reclama ordem, segurança, eficiência. Uma delegação de autoridade humana envolve concessão de recursos da parte de quem a outorga. Não se pedirá cooperação sistemática do médium, sem oferecer-lhe as necessárias garantias.

— Isso, porém, não dificultará o processo de intercâmbio?

— De modo algum. Perante as necessidades respeitáveis e compreensíveis, com perspectivas de real aproveitamento, o próprio Gabriel se incumbe de tudo facilitar, ajudando aos comunicantes, tanto quanto auxilia a médium.

Assinalando a perfeita comunhão entre o mentor e a tutelada, indaguei por minha vez se uma associação daquela ordem não estaria vinculada a compromissos assumidos pelos médiuns antes da reencarnação, ao que Áulus respondeu prestimoso:

— Ah! sim, semelhantes serviços não se efetuam sem programa. O acaso é uma palavra inventada pelos homens para disfarçar o menor esforço. Gabriel e Ambrosina planejaram a experiência atual muito antes que ela se envolvesse nos densos fluidos da vida física.

— E por que dizer — continuei, lembrando ao assistente as suas próprias palavras — "quando o médium se destaca no serviço do bem recebe apoio de um amigo espiritual", se esse amigo espiritual e o médium já se encontram irmanados um ao outro, desde muito tempo?

O instrutor fitou-me de frente e falou:

16.10

— Em qualquer cometimento, não seria lícito desvalorizar a liberdade de ação. Ambrosina comprometeu-se; isso, porém, não a impediria de cancelar o contrato de serviço, não obstante reconhecer-lhe a excelência e a magnitude. Poderia desejar imprimir novo rumo ao seu idealismo de mulher, adiando realizações sem as quais não se erguerá livremente do mundo. Os orientadores da Espiritualidade procuram companheiros, não escravos. O médium digno da missão do auxílio não é um animal subjugado à canga, mas sim um irmão da humanidade e um aspirante à sabedoria. Deve trabalhar e estudar por amor... É por isso que muitos começam a jornada e recuam. Livres para decidir quanto ao próprio destino, muitas vezes preferem estagiar com indesejáveis companhias, caindo em temíveis fascinações. Iniciam-se com entusiasmo na obra do bem; entretanto, em muitas circunstâncias dão ouvidos a elementos corruptores que os visitam pelas brechas da invigilância. E, assim, tropeçam e se estiram na cupidez, na preguiça, no personalismo destruidor ou na sexualidade delinquente, transformando-se em joguetes dos adversários da luz, que lhes vampirizam as forças, aniquilando-lhes as melhores possibilidades. Isso é da experiência de todos os tempos e de todos os dias...

— Sim, sim... — concordei. — Mas não seria possível aos mentores espirituais a movimentação de medidas capazes de pôr cobro aos abusos, quando os abusos aparecem?

Meu interlocutor sorriu e obtemperou:

— Cada consciência marcha por si, apesar de serem numerosos os mestres do caminho. Devemos a nós mesmos a derrota ou a vitória. Almas e coletividades adquirem as experiências com que se redimem ou se elevam, ao preço do próprio esforço. O homem constrói, destrói e reconstrói destinos, como a humanidade faz e desfaz civilizações, buscando a melhor direção para responder aos chamamentos de Deus. É por isso que pesadas tribulações vagueiam no mundo, tais como a enfermidade e a aflição, a guerra e a decadência, despertando as almas para o discernimento justo. Cada qual vive no quadro das próprias conquistas ou dos próprios débitos. Assim considerando, vemos no planeta milhões de criaturas sob as teias da mediunidade torturante, milhares detendo possibilidades psíquicas apreciáveis, muitas tentando o desenvolvimento dos recursos dessa natureza e raras obtendo um mandato mediúnico para o trabalho da fraternidade e da luz. E, segundo reconhecemos, a mediunidade sublimada é serviço que devemos edificar, ainda que essa gloriosa aquisição nos custe muitos séculos.

6.11 — Mas, ainda num mandato mediúnico, o tarefeiro da condição de dona Ambrosina pode cair?

— Como não? — acentuou o interlocutor. — Um mandato é uma delegação de poder obtida pelo crédito moral, sem ser um atestado de santificação. Com maiores ou menores responsabilidades, é imprescindível não esquecer nossas obrigações perante a Lei divina, a fim de consolidar nossos títulos de merecimento na vida eterna.

E, com significativo tom de voz, acrescentou:

— Recordemos a palavra do Senhor: "muito se pedirá de quem muito recebeu".

A conversação, à margem do serviço, oferecera-me suficiente material de meditação.

As valiosas anotações do assistente, reportando-se à mediunidade, impeliam-me a silenciar e refletir.

Isso, porém, não acontecia com o meu companheiro, porque Hilário, fixando o espelho fluídico em que os benfeitores do nosso plano recolhiam informações rápidas para respostas às consultas, solicitou de nosso orientador alguma definição sobre o delicado instrumento, que funcionava às mil maravilhas, mostrando quadros com pessoas angustiadas ou enfermas, de momento a momento.

— É um televisor, manobrado com recursos de nossa esfera. **16.1**

— Entretanto — inquiriu Hilário, minucioso —, a face do espelho mostra o veículo de carne ou a própria alma?

— A própria alma. Pelo exame do perispírito, alinham-se avisos e conclusões. Muitas vezes, é imprescindível analisar, de modo meticuloso, certos casos que nos são apresentados; todavia, recolhendo apelos em massa, mobilizamos meios de atender a distância. Para isso, trabalhadores das nossas linhas de atividade são distribuídos por diversas regiões, onde captam as imagens de acordo com os pedidos que nos são endereçados, sintonizando as emissões com o aparelho receptor sob nossa vista. A televisão, que começa a estender-se no mundo, pode oferecer uma ideia imediata de semelhante serviço, salientando-se que entre nós essas transmissões são muito mais simples, exatas e instantâneas.

Meu colega refletiu alguns momentos, como se grave problema lhe aflorasse à cabeça, e considerou:

— O que vemos sugere importantes ponderações. Imaginemos que alguém expeça determinada solicitação ao mandato mediúnico, sujeita a certa demora entre a requisição e a resposta... Figuremos que o interessado, situado longe, desencarne e permaneça, em Espírito, como acontece em muitas ocasiões, num aposento doméstico ou em algum leito de hospital, embora já liberado do corpo físico... Num caso desses, a resposta dos benfeitores espirituais será fornecida como se fosse dedicada ao encarnado autêntico?

— Isso pode ocorrer em várias circunstâncias — acrescentou o assistente —, uma vez que não nos achamos num serviço automático ou milagroso. Agimos com espírito de cooperação e boa vontade, dependendo o êxito do auxílio mútuo, porque uma só peça não solucionará os problemas da máquina inteira. Funcionários que recolhem anotações reclamam o concurso eficiente daqueles que as transmitem. Muita vez, a longa distância, a criatura em sofrimento é mostrada aos que se propõem socorrê-la, e os samaritanos da fraternidade, em virtude do número habitualmente enorme dos aflitos, com a obrigação de ajudar, de improviso, não podem, de momento, ajuizar se estão recebendo informes acerca de um encarnado ou de um desencarnado, mormente quando não se acham laureados por vastíssima experiência. Em certas situações, os necessitados exigem auxílio intensivo em pequenina fração de minuto. Assim sendo, qualquer equívoco desse jaez é perfeitamente admissível.

6.13 — Mas isso — tornou Hilário — não seria perturbar o serviço da fé? Se fôssemos nós os encarnados, não julgaríamos tal acontecimento como inútil resposta enviada a um *morto*?

— Não, Hilário, não podemos situar a questão nestes termos. Quem busca sinceramente a fé encontra o prêmio da compreensão clara e pacífica das coisas, sem prejudicar-se diante de contradições superficiais e aparentes.

Nesse ponto do diálogo, o assistente meditou um instante e observou:

— Mas se os consulentes são exemplares de leviandade e má-fé, abeirando-se do trabalho mediúnico no propósito deliberado de estabelecer a descrença e a secura espiritual, semelhantes resultados, quando se verificam, servem para eles como justa colheita dos espinhos que plantam, uma vez que abusam da generosidade e da paciência dos Espíritos amigos e recolhem para si mesmos a negação e a tortura mental. Quem procura a fonte límpida, arremessando-lhe lodo à face, não pode, em seguida, obter a água pura.

Hilário, satisfeito, silenciou.

E porque dois médiuns de cura passassem a socorrer doentes em sala próxima, enquanto dona Ambrosina e os oradores cumpriam seus edificantes deveres, procuramos o serviço de passes magnéticos, à cata de novos conhecimentos.

16.1

17
Serviço de passes

17.1 Atravessamos a porta e fomos defrontados por ambiente balsâmico e luminoso.

Um cavalheiro maduro e uma senhora respeitável recolhiam apontamentos em pequeno livro de notas, ladeados por entidades evidentemente vinculadas aos serviços de cura. Indicando os dois médiuns, o assistente informou:

— São os nossos irmãos Clara e Henrique, em tarefa de assistência, orientados pelos amigos que os dirigem.

— Como compreender a atmosfera radiante em que nos banhamos? — aventurou Hilário, curioso.

— Nesta sala — explicou Áulus, amigavelmente — se reúnem sublimadas emanações mentais da maioria de quantos se valem do socorro magnético, tomados de amor e confiança. Aqui possuímos uma espécie de altar interior, formado pelos pensamentos, preces e aspirações de quantos nos procuram trazendo o melhor de si mesmos.

Não dispúnhamos, todavia, de muito tempo para a conversação isolada.

Clara e Henrique, agora em prece, nimbavam-se de luz. **17.2** Dir-se-ia estavam quase desligados do corpo denso, porque se mostravam espiritualmente mais livres, em pleno contato com os benfeitores presentes, embora por si mesmos não pudessem avaliar seu estado.

Calmos e seguros, pareciam haurir forças revigorantes na intimidade de suas almas. Guardavam a ideia de que a oração lhes mantinha o espírito em comunicação com invisível e profundo manancial de energia silenciosa.

Ante a porta ainda cerrada, acotovelavam-se pessoas aflitas e bulhentas, esperando o término da preparação a que se confiavam.

Os dois médiuns, porém, afiguravam-se-nos espiritualmente distantes.

Absortos, em companhia das entidades irmãs, registravam-lhes as instruções, por meio dos recursos intuitivos.

Pelas irradiações da personalidade magnética de Henrique, reconhecia-se-lhe, de imediato, a superioridade sobre a companheira. Era ele, entre os dois, o ponto dominante.

Por isso, decerto, ao seu lado se achava o orientador espiritual mais categorizado para a tarefa.

Áulus abraçou-o e no-lo apresentou gentil.

O irmão Conrado, nosso novo amigo, enlaçou-nos acolhedor.

Anunciou que o serviço estaria à nossa disposição para os apontamentos que desejássemos.

E o nosso instrutor, colocando-nos à vontade, autorizou-nos dirigir a Conrado qualquer indagação que nos ocorresse.

Hilário, que nunca sopitava a própria espontaneidade, começou, como de hábito, a inquirição, perguntando respeitosamente:

— O amigo permanece frequentemente aqui?

— Sim, tomamos sob nossa responsabilidade os serviços assistenciais da instituição, em favor dos doentes, duas noites por semana.

17.3 — Dos enfermos tão somente encarnados?
— Não é bem assim. Atendemos aos necessitados de qualquer procedência.
— Conta com muitos cooperadores?
— Integramos um quadro de auxiliares, de acordo com a organização estabelecida pelos mentores da esfera superior.
— Quer dizer que, numa casa como esta, há colaboradores espirituais devidamente fichados, assim como ocorre a médicos e enfermeiros num hospital terrestre comum?
— Perfeitamente. Tanto entre os homens como entre nós, que ainda nos achamos longe da perfeição espiritual, o êxito do trabalho reclama experiência, horário, segurança e responsabilidade do servidor fiel aos compromissos assumidos. A Lei não pode menosprezar as linhas da lógica.
— E os médiuns? São invariavelmente os mesmos?
— Sim, contudo, em casos de impedimento justo, podem ser substituídos, embora nessas circunstâncias se verifiquem, inevitavelmente, pequenos prejuízos resultantes de natural desajuste.

Meu colega passeou o olhar inquieto pelos dois companheiros encarnados, em oração, e continuou:

— Preparam-se nossos amigos, à frente do trabalho, com o auxílio da prece?
— Sem dúvida. A oração é prodigioso banho de forças, tal a vigorosa corrente mental que atrai. Por ela, Clara e Henrique expulsam do próprio mundo interior os sombrios remanescentes da atividade comum que trazem do círculo diário de luta e sorvem do nosso plano as substâncias renovadoras de que se repletam, a fim de conseguirem operar com eficiência, a favor do próximo. Desse modo, ajudam e acabam por ser firmemente ajudados.
— Isso significa que não precisam recear a sua exaustão...

— De modo algum. Tanto quanto nós, não comparecem aqui com a pretensão de serem os senhores do benefício, mas sim na condição de beneficiários que recebem para dar. A oração, com o reconhecimento de nossa desvalia, coloca-nos na posição de simples elos de uma cadeia de socorro, cuja orientação reside no Alto. Somos nós aqui, neste recinto consagrado à missão evangélica, sob a inspiração de Jesus, algo semelhante à singela tomada elétrica, dando passagem à força que não nos pertence e que servirá na produção de energia e luz.

17.4

A explicação não podia ser mais clara.

E enquanto Hilário sorria satisfeito, Conrado afagou os ombros de Henrique, como a recordar-lhe o horário estabelecido, e o médium, apesar de não lhe assinalar o gesto no campo das sensações físicas, obedeceu de pronto, encaminhando-se para a porta e descerrando-a aos sofredores.

Pequena multidão de encarnados e desencarnados aglomerou-se à entrada; todavia, companheiros da casa controlavam-lhes os movimentos.

Conrado entregou-se ao trabalho que lhe competia e, em razão disso, tornamos à intimidade do assistente.

Ambos os médiuns atacaram a tarefa.

Enfermos de variada expressão entravam esperançosos e retiravam-se, depois de atendidos, com evidentes sinais de reconforto. Das mãos de Clara e Henrique irradiavam-se luminosas chispas, comunicando-lhes vigor e refazimento.

Na maioria dos casos, não precisavam tocar o corpo dos pacientes de modo direto. Os recursos magnéticos, aplicados a reduzida distância, penetravam assim mesmo o "halo vital" ou a aura dos doentes, provocando modificações subitâneas.

Os passistas afiguravam-se-nos como duas pilhas humanas deitando raios de espécie múltipla a lhes fluírem das mãos, depois de lhes percorrerem a cabeça, ao contato do irmão Conrado e de seus colaboradores.

17.5   O quadro era efetivamente fascinador pelos jogos de luz que apresentava.

Hilário sondou o ambiente e, em seguida, indagou de nosso orientador:

— Por que motivo a energia transmitida pelos amigos espirituais circula primeiramente na cabeça dos médiuns?

— Ainda aqui — disse Áulus —, não podemos subestimar a importância da mente. O pensamento influi de maneira decisiva na doação de princípios curadores. Sem a ideia iluminada pela fé e pela boa vontade, o médium não conseguiria ligação com os Espíritos amigos que atuam sobre essas bases.

— Entretanto — ponderei —, há pessoas tão bem dotadas de força magnética perfeitamente despreocupadas do elemento moral!...

— Sim — redarguiu o assistente —, refere-se você aos hipnotizadores comuns, muita vez portadores de energia excepcional. Fazem belas demonstrações, impressionam, convencem; contudo, movimentam-se na esfera de puro fenômeno, sem aplicações edificantes no campo da espiritualidade. É imperioso não esquecer, André, que o potencial magnético é peculiar a todos, com expressões que se graduam ao infinito.

— Mas semelhantes profissionais podem igualmente curar!
— frisou meu companheiro, completando-me as observações.

— Sim, podem curar, mas acidentalmente, quando o enfermo é credor de assistência espiritual imediata, com a intervenção de amigos que o favoreçam. Fora disso, os que abusam dessa fonte de energia, explorando-a ao seu bel-prazer, quase sempre resvalam para a desmoralização de si mesmos, porque, interferindo num campo de forças que lhes é desconhecido, guiados tão somente pela vaidade ou pela ambição inferior, fatalmente encontram entidades que com eles se afinam, precipitando-se em difíceis situações que não precisam vir à baila. Se não possuem um caráter elevado, suscetível de opor um dique à influenciação viciosa, acabam vampirizados por energias mais acentuadas que as deles, porquanto, se considerarmos o assunto apenas sob o ponto de vista da força, somos constrangidos a reconhecer que há imenso número de vigorosos hipnotizadores espirituais, nas linhas atormentadas da ignorância e da crueldade, de onde se originam os mais aflitivos processos de obsessão.

E, sorrindo, acrescentou:

17.6

— Recordemos a natureza. A serpente é um dos maiores detentores de poder hipnótico.

— Então — disse Hilário —, para curar, serão indispensáveis certas atitudes do Espírito...

— Indiscutivelmente não prescindimos do coração nobre e da mente pura, no exercício do amor, da humildade e da fé viva, para que os raios do poder divino encontrem acesso e passagem por nós, em benefício dos outros. Para a sustentação de um serviço metódico de cura, isso é indispensável.

— Entretanto, para o esforço desse tipo precisaremos de pessoas escolhidas, com a obrigação de efetuarem estudos especiais?

— Importa ponderar — disse Áulus, convicto — que em qualquer setor de trabalho a ausência de estudo significa estagnação. Esse ou aquele cooperador que desistam de aprender, incorporando novos conhecimentos, condenam-se fatalmente às atividades de subnível; todavia, tratando-se do socorro magnético, tal qual é administrado aqui, convém lembrar que a tarefa é de solidariedade pura, com ardente desejo de ajudar, sob a invocação da prece. E toda oração, filha da sinceridade e do dever bem cumprido, com respeitabilidade moral e limpeza de sentimentos, permanece tocada de incomensurável poder. Analisada a questão nestes termos, todas as pessoas dignas e fervorosas, com o auxílio da prece, podem conquistar a simpatia de veneráveis magnetizadores do plano espiritual, que passam, assim, a mobilizá-las na extensão do bem. Não nos achamos à frente do hipnotismo espetacular, mas sim num gabinete de cura, em que os médiuns transmitem os benefícios que recolhem, sem a presunção de doá--los de si mesmos. É importante não esquecer essa verdade para deixarmos bem claro que, onde surjam a humildade e o amor, o amparo divino é seguro e imediato.

17.7 O ministério da cura, porém, a desdobrar-se eficiente e pacífico, reclamava-nos atenção.

Os doentes entravam dois a dois, sendo carinhosamente atendidos por Clara e Henrique, sob a providencial assistência de Conrado e seus colaboradores.

Obsidiados ganhavam ingresso no recinto, acompanhados de frios verdugos; no entanto, com o toque dos médiuns sobre a região cortical, depressa se desligavam, postando-se, porém, nas vizinhanças, como que à espera das vítimas, com a maioria das quais se reacomodavam de pronto.

Alinhando apontamentos, começamos a reparar que alguns enfermos não alcançavam a mais leve melhoria.

As irradiações magnéticas não lhes penetravam o veículo orgânico.

Registrando o fenômeno, a pergunta de Hilário não se fez esperar.

— Por quê?

— Falta-lhes o estado de confiança — esclareceu o orientador.

— Será, então, indispensável a fé para que registrem o socorro de que necessitam?

— Ah! sim. Em fotografia precisamos da chapa impressionável para deter a imagem, tanto quanto em eletricidade carecemos do fio sensível para a transmissão da luz. No terreno das vantagens espirituais, é imprescindível que o candidato apresente uma certa "tensão favorável". Essa tensão decorre da fé. Certo, não nos reportamos ao fanatismo religioso ou à cegueira da ignorância, mas sim à atitude de segurança íntima, com reverência e submissão, diante das Leis divinas, em cuja sabedoria e amor procuramos arrimo.

Sem recolhimento e respeito na receptividade, não conseguimos fixar os recursos imponderáveis que funcionam em nosso favor, porque o escárnio e a dureza de coração podem ser comparados a espessas camadas de gelo sobre o templo da alma.

A lição fora simples e bela.

17.8

Hilário calou-se, talvez para refletir sobre ela em silêncio.

Sem descurar dos nossos objetivos de estudo, Áulus considerou a conveniência de nosso contato direto com o serviço em ação. Seria interessante para nós a auscultação de algum dos casos em foco.

Para isso, aproximou-se de idosa matrona que acabava de entrar, à cata de auxílio e, com permissão de Conrado, convidou-nos a examiná-la com o cuidado possível.

A senhora, aguardando o concurso de Clara, sustentava-se dificilmente de pé, com o ventre volumoso e o semblante dolorido.

— Observem o fígado!

Utilizamo-nos dos recursos ao nosso alcance e passamos a analisar.

Realmente, o órgão mencionado demonstrava a dilatação característica das pessoas que sofrem de insuficiência cardíaca. As células hepáticas pareceram-me vasta colmeia, trabalhando sob enorme perturbação. A vesícula congestionada impeliu-me a imediata inspeção do intestino. A bile comprimida atingira os vasos e assaltava o sangue. O colédoco[9] interdito facilitava o diagnóstico. Ligeiro exame da conjuntiva ocular confirmava-me a impressão.

A icterícia mostrava-se insofismável.

Após ouvir-me, Conrado reafirmou:

---

[9] N.E.: Duto formado pela junção dos canais hepático e cístico e que vai ter ao duodeno.

17.9 — Sim, é uma icterícia complicada. Nasceu de terrível acesso de cólera em que nossa amiga se envolveu no reduto doméstico. Rendendo-se, desarvorada, à irritação, adquiriu renitente hepatite, da qual a icterícia é a consequência.

— E como será socorrida?

Conrado, impondo a destra sobre a fronte da médium, comunicou-lhe radiosa corrente de forças e inspirou-a a movimentar as mãos sobre a doente, desde a cabeça até o fígado enfermo. Notamos que o córtex encefálico se revestiu de substância luminosa que, descendo em fios tenuíssimos, alcançou o campo visceral.

A senhora exibiu inequívoca expressão de alívio, retirando-se visivelmente satisfeita, depois de prometer que voltaria ao tratamento.

Hilário fixou os olhos interrogadores no assistente que nos acompanhava solícito e indagou:

— Nossa irmã estará curada?

— Isso é impossível — acentuou Áulus, paternal —; temos aí órgãos e vasos comprometidos. O tempo não pode ser desprezado na solução.

— E em que bases se articula semelhante processo de curar?

— O passe é uma transfusão de energias, alterando o campo celular. Vocês sabem que na própria ciência humana de hoje o átomo não é mais o tijolo indivisível da matéria... que, antes dele, encontram-se as linhas de força, aglutinando os princípios subatômicos, e que, antes desses princípios, surge a vida mental determinante... Tudo é espírito no santuário da natureza. Renovemos o pensamento e tudo se modificará conosco. Na assistência magnética, os recursos espirituais se entrosam entre a emissão e a recepção, ajudando a criatura necessitada para que ela ajude a si mesma. A mente reanimada reergue as vidas microscópicas que a servem, no templo do corpo, edificando valiosas reconstruções. O passe, como reconhecemos, é importante contribuição para quem saiba recebê-lo, com o respeito e a confiança que o valorizam.

— E pode, acaso, ser dispensado a distância?

— Sim, desde que haja sintonia entre aquele que o administra e aquele que o recebe. Nesse caso, diversos companheiros espirituais se ajustam no trabalho do auxílio, favorecendo a realização, e a prece silenciosa será o melhor veículo da força curadora.

O serviço em torno prosseguia intenso.

Áulus considerou que a nossa presença talvez sobrecarregasse as preocupações de Conrado, e que não seria lícito permanecer junto dele por mais tempo, já que havíamos recolhido os apontamentos rápidos que nos propúnhamos obter e, à vista disso, despedimo-nos do supervisor, buscando o salão central para a continuidade de nossas abençoadas lições.

18
Apontamentos à margem

18.1   Dona Ambrosina continuava psicografando várias mensagens endereçadas aos presentes.

E um dos oradores, sob a influência de benigno mentor da Espiritualidade, salientava a necessidade de conformação com as Leis divinas para que a nossa vida mental se refaça, fazendo jus a bênçãos renovadoras.

Alguns encarnados jaziam impermeáveis e sonolentos, vampirizados por obsessores caprichosos que os acompanhavam de perto; entretanto, muitos desencarnados de mediana compreensão ouviam solícitos e sinceramente aplicados ao ensino consolador.

Gabriel, de olhos percucientes e lúcidos, a tudo presidia com firmeza.

Nenhuma ocorrência, por mínima que fosse, lhe escapava à percepção.

Aqui, a um leve sinal seu, entidades escarnecedoras eram exortadas à renovação de atitude; ali, socorriam-se doentes que ele indicava com silencioso gesto de recomendação.

Era o pulso de comando, forte e seguro, sustentando a **18.2**
harmonia e a ordem, na exaltação do trabalho.

Contemplamos a mesa enorme em que a direção se processava com equilíbrio irrepreensível e, fitando a médium, rodeada de apetrechos do serviço, em atividade constante, Hilário perguntou ao nosso orientador:

— Por que tantas mensagens pessoais dos Espíritos amigos?

— São respostas reconfortantes a companheiros que lhes solicitam assistência e consolo.

— E essas respostas — continuou meu colega — traduzem equação definitiva para os problemas que expõem?

— Isso não — aclarou o assistente, convicto —; entre o auxílio e a solução vai sempre alguma distância em qualquer dificuldade, e não podemos esquecer que cada um de nós possui os seus próprios enigmas.

— Se é assim, por que motivo o intercâmbio? Se os desencarnados não podem oferecer uma conclusão pacífica aos tormentos dos irmãos que ainda se demoram na carne, por que a porta aberta entre eles e nós?

— Não te esqueças do impositivo da cooperação na estrada de cada ser — disse Áulus com grave entono. — Na vida eterna, a existência no corpo físico, por mais longa, é sempre curto período de aprendizagem. E não nos cabe olvidar que a Terra é o campo onde ferimos a nossa batalha evolutiva. Dentro dos princípios de causa e efeito, adquirimos os valores da experiência com que estruturamos a nossa individualidade para as esferas superiores. A mente, em verdade, é o caminheiro buscando a meta da angelitude; contudo, não avançará sem auxílio. Ninguém vive só. Os pretensos mortos precisam amparar os companheiros em estágio na matéria densa, porquanto em grande número serão compelidos a novos mergulhos na experiência carnal. É da Lei que a sabedoria socorra a ignorância, que os melhores ajudem aos menos bons. Os homens, cooperando com os Espíritos esclarecidos e benevolentes, atraem simpatias preciosas para a vida espiritual, e as entidades amigas, auxiliando os reencarnados, estarão construindo facilidades para o dia de amanhã, quando de volta à lide terrestre.

18.3 — Sim, sim, compreendo... — exclamou Hilário, reconhecido. — Entretanto, colocando-me na situação da criatura vulgar, recordo-me de que no mundo habituamo-nos a esperar do Céu uma solução decisiva e absoluta para inúmeros problemas que se nos deparam...

— Semelhante atitude, porém — acentuou o orientador —, decorre de antiga viciação mental no planeta. Para maior clareza do assunto, rememoremos a exemplificação do divino Mestre. Jesus, o governador espiritual do mundo, auxiliou a doentes e aflitos, sem retirá-los das questões fundamentais que lhes diziam respeito. Zaqueu, o rico prestigiado pela visita que lhe foi feita, sentiu-se constrangido a modificar a sua conduta. Maria de Magdala, que lhe recebeu carinhosa atenção, não ficou livre do dever de sustentar-se no árduo combate da renovação interior. Lázaro, reerguido das trevas do sepulcro, não foi exonerado da obrigação de aceitar, mais tarde, o desafio da morte. Paulo de Tarso foi por Ele distinguido com um apelo pessoal, às portas de Damasco; entretanto, por isso, o apóstolo não obteve dispensa dos sacrifícios que lhe cabiam no desempenho da nova missão. Segundo reconhecemos, seria ilógico aguardar dos desencarnados a liquidação total das lutas humanas. Isso significaria furtar o trabalho que corresponde ao sustento do servidor ou subtrair a lição ao aluno necessitado de luz.

A essa altura, não longe de nós, simpática senhora monologava em pensamento:

"Meu filho! Meu filho! Se você não está morto, visite-me! Venha! Venha! Estou morrendo de saudade, de angústia!..."

Fale-me alguma palavra pela qual nos entendamos... Se tudo não está acabado, aproxime-se da médium e comunique-se! É impossível que você não tenha piedade..."

As frases amargas, embora inarticuladas, atingiam-nos a audição, qual se fossem arremessadas ao ambiente em voz abafadiça.

18.4

Leve rumor à retaguarda feriu-nos a atenção.

Um rapaz desencarnado apresentou-se em lastimáveis condições e avançou para a triste mulher, dominado por invencível atração.

Da boca amarfanhada escorria a amargura em forma de palavras comovedoras.

— Mãe! Mãe! — gritava de joelhos, qual se fora atormentada criança, conchegando-se-lhe ao regaço. — Não me abandone!... Estou aqui, ouça-me! Não morri... Perdoe-me, perdoe-me!... Sou um renegado, um náufrago!... Busquei a morte quando eu deveria viver para o seu carinho! Agora, sim, vejo o sofrimento de perto e desejaria aniquilar-me para sempre, tal a vergonha que me aflige o coração!...

A matrona não lhe via a figura agoniada, contudo registrava-lhe a presença, por meio de intraduzível ansiedade a constringir-lhe o peito.

Dois vigilantes aproximaram-se, arrebatando o moço ao colo materno, e, ladeando por nossa vez o assistente, que se deu pressa em socorrer a senhora em lágrimas, ouvimo-la clamar mentalmente:

"Não será melhor segui-lo?! Morrer e descansar!... Meu filho, quero meu filho!..."

Áulus aplicou-lhe recursos magnéticos, com o que a desventurada criatura experimentou grande alívio, e, em seguida, informou:

— Anotemos o caso desta pobre mãe desarvorada. O filho suicidou-se há meses e ela ainda não consegue forrar-se[10] à

---

[10] N.E.: Pôr-se a salvo, poupar-se.

flagelação íntima. Em sua devoção afetiva, reclama-lhe a manifestação pessoal sem saber o que pede, porque a chocante posição do rapaz constituir-lhe-ia pavoroso martírio. Não poderá, desse modo, recolher-lhe a palavra direta; entretanto, ao contato do trabalho espiritual que aqui se processa, incorporará energias novas para refazer-se gradualmente.

18.5 — Decerto — acrescentou Hilário, com inteligência —, não terá resolvido o problema crucial da sensibilidade ferida; no entanto, adquire forças para recuperar-se...

— Isso mesmo.

— Aliás — considerei a meu modo —, a mediunidade de hoje é, na essência, a profecia das religiões de todos os tempos.

— Sim — aprovou Áulus, prestimoso —, com a diferença de que a mediunidade hoje é uma concessão do Senhor à humanidade em geral, considerando-se a madureza do entendimento humano à frente da vida. O fenômeno mediúnico não é novo. Nova é tão somente a forma de mobilização dele, porque o sacerdócio de várias procedências jaz, há muitos séculos, detido nos espetáculos do culto exterior, mumificando indebitamente o corpo das revelações celestiais. Notadamente o Cristianismo, que deveria ser a mais ampla e a mais simples das escolas de fé, há muito tempo como que se enquistou no superficialismo dos templos. Era preciso, pois, libertar-lhe os princípios, em benefício do mundo que, cientificamente, hoje se banha no clarão de nova era. Por esse motivo, o Governo oculto do planeta deliberou que a mediunidade fosse trazida do colégio sacerdotal à praça pública, a fim de que a noção da eternidade, por meio da sobrevivência da alma, despertasse a mente anestesiada do povo. É assim que Jesus nos reaparece, agora, não como fundador de ritos e fronteiras dogmáticas, mas sim em sua verdadeira feição de Redentor da alma humana. Instrumento de Deus por excelência, Ele se utilizou da mediunidade para acender a luz da sua doutrina de amor. Restaurando enfermos e pacificando aflitos, em muitas ocasiões esteve em contato com os chamados mortos, alguns dos quais não eram senão almas sofredoras a vampirizarem obsidiados de diversos matizes. E, além de surgir em colóquio com Moisés materializado no Tabor, Ele mesmo é o grande ressuscitado, legando aos homens o sepulcro vazio e acompanhando os discípulos com acendrado amor, para que lhe continuassem o apostolado de bênçãos.

Hilário esboçou o sorriso de um estudante satisfeito com a lição e exclamou: **18.6**

— Ah, sim, tenho a impressão de começar a compreender...

Os trabalhos da reunião tocavam a fase terminal.

Nosso orientador percebeu que Gabriel se dispunha a grafar a mensagem do encerramento e, respeitoso, pediu-lhe cunhar alguns conceitos em derredor da mediunidade, ao que o supervisor aquiesceu gentil.

Dona Ambrosina entrara em pausa ligeira para alguns momentos de recuperação.

O diretor da reunião rogou silêncio para o remate dos serviços, e, tão logo reverente quietação se fez na assembleia, o condutor da casa controlou o cérebro da medianeira e tomou-lhe o braço, escrevendo aceleradamente.

Em minutos rápidos, os apontamentos de Gabriel estavam concluídos.

A médium levantou-se e passou a lê-los em voz alta:

— Meus amigos — dizia o mentor —, é indispensável procurar na mediunidade não a chave falsa para certos arranjos inadequados na Terra, mas sim o caminho direito de nosso ajustamento à vida superior.

"Compreendendo assim a verdade, é necessário renovar a nossa conceituação de médium, para que não venhamos a transformar companheiros de ideal e de luta em oráculos e adivinhos, com esquecimento de nossos deveres na elevação própria.

18.7 "O Espiritismo, simbolicamente, é Jesus que retorna ao mundo, convidando-nos ao aperfeiçoamento individual, por intermédio do trabalho construtivo e incessante.

"Dentro das leis da cooperação, será justo aceitar o braço amigo que se nos oferece para a jornada salvadora; entretanto, é imprescindível não esquecer que cada qual de nós transporta consigo questões essenciais e necessidades intransferíveis.

"Desencarnados e encarnados, todos palmilhamos extenso campo de experimentações e de provas, condizentes com os impositivos de nosso crescimento para a imortalidade.

"Não atribuamos, assim, ao médium obrigações que nos competem, em caráter exclusivo, nem aguardemos da mediunidade funções milagreiras, porquanto só a nós cabe o serviço árduo da própria ascensão, na pauta das responsabilidades que o conhecimento superior nos impõe.

"Diante de nossas assertivas, podereis talvez indagar, segundo os velhos hábitos que nos caracterizam a preguiça mental na Terra: Se o Espiritismo e a mediunidade não nos solucionam os enigmas de maneira absoluta, que estarão ambos fazendo no santuário religioso da humanidade?

"Responder-vos-emos, todavia, que neles reencontramos o pensamento puro do Cristo, auxiliando-nos a compreensão para mais amplo discernimento da realidade. Neles recolhemos exatos informes quanto à lei das compensações, equacionando aflitivos problemas do ser, do destino e da dor e deixando-nos perceber, de alguma sorte, as infinitas dimensões para as quais evolvemos. E a eles deveremos, acima de tudo, a luz para vencer os tenebrosos labirintos da morte, a fim de que nos consorciemos, afinal, com as legítimas noções da consciência cósmica.

"Alcançadas semelhantes fórmulas de raciocínio, perguntaremos a vós outros por nossa vez: 'Acreditais seja pouco revelar a excelsitude da justiça? Admitis seja desprezível descortinar a vida em suas ilimitadas facetas de evolução e eternidade?'

"Reverenciemos, pois, o Espiritismo e a mediunidade como dois altares vivos no templo da fé, por meio dos quais contemplaremos, de mais alto, a esfera das cogitações propriamente terrestres, compreendendo, por fim, que a glória reservada ao espírito humano é sublime e infinita, no reino divino do universo."

18.8

A comunicação psicográfica tratou de outros assuntos e, finda a sua leitura, breve oração de reconhecimento foi pronunciada. E, enquanto os assistentes tornavam à conversação livre, Hilário e eu, ante os conceitos ouvidos, passávamos a profunda introversão para melhor aprender e meditar.

19
Dominação telepática

19.1   Dispúnhamo-nos à despedida, quando simpática senhora desencarnada abeirou-se de nós, cumprimentando o assistente com respeitosa afetividade.

Áulus incumbiu-se da apresentação.

— É a irmã Teonília, uma de nossas diligentes companheiras no trabalho assistencial.

A nova amiga correspondeu-nos às saudações com gentileza e explicou ao nosso orientador o objetivo que a trazia.

Contou, então, que Anésia, devotada companheira da instituição em que nos achávamos, sorvia o fel de dura prova.

Além das preocupações naturais com a educação das três filhinhas e com a assistência imprescindível à mãezinha doente, em vésperas de desencarnação, sofria tremenda luta íntima, uma vez que Jovino, o esposo, vivia agora sob a estranha fascinação de outra mulher. Esquecera-se, invigilante, das obrigações no santuário doméstico. Parecia, de todo, desinteressado da companheira e das filhas. Como que voltara às estroinices da primeira juventude, qual se nunca houvesse abraçado a missão de pai.

Dia e noite, deixava-se dominar pelos pensamentos da nova mulher que o enlaçara na armadilha de mentirosos encantos. **19.2**

Em casa, nas atividades da profissão ou na via pública, era ela, sempre ela, a senhorear-lhe a mente desprevenida.

Transformara-se o mísero num obsidiado autêntico, sob a constante atuação da criatura que lhe anestesiava o senso de responsabilidade para consigo mesmo.

Não poderia Áulus interferir?

Não seria justo afastar semelhante influência como se extirpa uma chaga com o socorro operatório?

O assistente ouviu-a com calma e falou conciso:

— Conheço Anésia e nela estimo admirável irmã. Há meses, não disponho de oportunidade para visitá-la como venho desejando. Decerto, não me negarei ao concurso fraterno; entretanto, não será conveniente estabelecer medidas drásticas sem uma auscultação do caso em si. Sabemos que a obsessão entre desencarnados ou encarnados, sob qualquer prisma em que se mostre, é uma enfermidade mental, reclamando por vezes tratamento de longo curso. Quem sabe se o pobre Jovino não estará na condição de um pássaro hipnotizado, não obstante o corpanzil que lhe confere aparências de robustez no plano físico?

— Do que posso perceber — observou a interlocutora —, vejo tão somente um homem comprometido em trabalho digno, ameaçado por perversa mulher...

— Oh! não! — atalhou o nosso instrutor, condescendente. — Não a classifique com semelhante adjetivação. Acima de tudo, é imperioso aceitá-la por infeliz irmã.

— Sim, sim... concordo — exclamou Teonília, reajustando-se. — De qualquer modo, rogo-lhe a caridosa intercessão.

Anésia tem sido uma colaboradora providencial em nossa tarefa. Não me sentiria satisfeita cruzando os braços...

19.3 — Faremos quanto se nos afigure viável no círculo de nossas possibilidades; contudo, é imprescindível analisar o passado para concluir sobre as raízes da ligação indébita a que nos reportamos.

E, imprimindo grave tonalidade à voz, o assistente enunciou:

— Estará descendo Jovino a impressões do pretérito? Não será uma provação que o nosso amigo terá traçado à própria consciência, com finalidade redentora, e à qual não sabe agora como resistir?

Teonília esboçou um gesto de humildade silenciosa, enquanto Áulus rematou, afagando-lhe os ombros:

— Guardemos otimismo e confiança. Amanhã, à noitinha, conte conosco no lar de Anésia. Sondaremos, de perto, quanto nos caiba fazer.

Nossa amiga expressou reconhecimento e despediu-se sorrindo.

A sós conosco, durante o regresso ao nosso templo de trabalho e de estudo, Áulus salientou a nossa oportunidade de prosseguir observando. O assunto prendia-se naturalmente a problema de influenciação e teríamos ensejo de examinar fenômenos mediúnicos importantes, na esfera vulgar da experiência de muitos.

Com efeito, em momento preestabelecido, reunimo-nos no dia seguinte para a excursão programada.

Atingimos a estação de destino ao anoitecer.

Teonília aguardava-nos no pórtico de domicílio confortável, sem ser luxuoso.

Pequeno roseiral à entrada dizia, sem palavras, dos belos sentimentos dos moradores.

Guiados por nossa amiga, alcançamos o interior doméstico. A família entregava-se à refeição.

19.4 Uma senhora jovem servia atenciosamente a um cavalheiro maduro e bem-posto, ladeado por três meninas, das quais a mais moça revelava a graça primaveril dos 14 a 15 anos.

Claro que o entendimento da véspera dispensava novas informações. Áulus, no entanto, esclareceu minucioso:

— Anésia e Jovino acham-se aqui com as filhinhas Marcina, Marta e Márcia.

A palestra familiar desdobrava-se afetuosa, mas o dono da casa parecia contrafeito. Doces apontamentos das meninas não lhe arrancavam o mais leve sorriso. Contudo, enquanto o genitor timbrava em mostrar-se aborrecido, a mãezinha se fazia mais terna e mais contente, incentivando a conversação das duas filhas mais velhas que comentavam episódios humorísticos do bazar de quinquilharias em que trabalhavam juntas.

Findo o jantar, a senhora dirigiu-se à mais moça e recomendou com carinho:

— Márcia, minha filha, volte à vovó e espere por mim. Nossa doente não deve estar a sós.

A pequena obedeceu de bom grado e, transcorridos alguns instantes, Marcina e Marta demandaram sala próxima, em palestra mais íntima.

Dona Anésia reajustou a copa e a cozinha, operando em silêncio, enquanto o marido se esparramou numa poltrona, devorando os jornais vespertinos. Reparando, todavia, que o esposo se levantara para sair, endereçou-lhe olhar inquieto e indagou delicadamente:

— Poderemos, acaso, esperar hoje por você?

— Hoje? Hoje?... — redarguiu o interlocutor, sem fixá-la.

E o diálogo prosseguiu animadamente:

— Sim, um pouco mais tarde; faremos nossas preces em conjunto...

— Preces? Para que isso?

19.5 — Sinceramente, Jovino, creio no poder da oração e suponho que nunca precisamos tanto como agora de usá-la em favor de nossa tranquilidade doméstica.

— Não concordo com a sua opinião.

E, sarcástico, a exibir estranho sorriso, continuou:

— Não disponho de tempo para lidar com os seus tabus. Tenho compromissos inadiáveis. Estudarei, junto de amigos, excelente negócio.

Nesse instante, contudo, surpreendente imagem de mulher surgiu-lhe à frente dos olhos, qual se fora projetada sobre ele a distância, aparecendo e desaparecendo com intermitências.

Jovino fez-se mais distraído, mais enfadado.

Fitava agora a esposa com indiferença irônica, demonstrando inexcedível dureza espiritual.

Intrigados com o fenômeno sob nossa vista, ouvimos Anésia que, enlaçada por Teonília, dizia quase suplicante:

— Jovino, você não concorda que temos estado mais ausentes um do outro, quando precisamos estar mais juntos?

— Ora, ora! Deixe de pieguices! Sua preocupação seria própria, há vinte anos, quando não éramos senão tolos colegiais!

— Não, não é bem isso... Inquietam-me nosso lar e nossas filhas...

— De minha parte, não vejo como torturar-me. Creio que a casa está bem provida e não estou dormindo sobre nossos interesses familiares. Meus negócios estão em movimento. Preciso de dinheiro e, por essa razão, não posso perder tempo com beatices e petitórios endereçados a um Deus que, sem dúvida, deve estar muito satisfeito em morar no Céu, sem lembrar-se deste mundo...

Anésia dispunha-se a revidar; no entanto, a atitude do marido era tão flagrantemente escarnecedora que, decerto, julgou mais oportuno silenciar.

O chefe da família, depois de apurar o nó da gravata vivamente colorida, bateu a porta estrepitosamente sobre os próprios passos e retirou-se.   19.6

A companheira humilhada caiu em pranto silencioso sobre velha poltrona e começou a pensar, articulando frases sem palavras:

"Negócios, negócios... Quanta mentira sobre mentira! Uma nova mulher, isso sim!... Mulher sem coração que não nos vê os problemas... Dívidas, trabalhos, canseiras! Nossa casa hipotecada, nossa velhinha a morrer!... Nossas filhas cedo arremessadas à luta pela própria subsistência!"

Enquanto as reflexões dela se faziam audíveis para nós, irradiando-se na sala estreita, vimos de novo a mesma figura de mulher que surgira à frente de Jovino, aparecendo e reaparecendo ao redor da esposa triste, como que a fustigar-lhe o coração com invisíveis estiletes de angústia, porque Anésia acusava agora indefinível mal-estar.

Não via com os olhos a estranha e indesejável visita; no entanto, assinalava-lhe a presença em forma de incoercível tribulação mental. De inesperado, passou da meditação pacífica a tempestuosos pensamentos.

"Lembro-me dela, sim" — refletia agora em franco desespero. — "Conheço-a! É uma boneca de perversidade... Há muito tempo vem sendo um veículo de perturbação para a nossa casa. Jovino está modificado... Abandona-nos pouco a pouco. Parece detestar até mesmo a oração... Ah! que horrível criatura uma adversária qual essa, que se imiscui em nossa existência à maneira da víbora traiçoeira! Se eu pudesse, haveria de esmagá-la com os meus pés, mas hoje guardo uma fé religiosa que me forra o coração contra a violência..."

À medida, porém, que Anésia monologava intimamente em termos de revide, a imagem projetada de longe abeirava-se dela com maior intensidade, como que a corporificar-se no ambiente para infundir-lhe mais amplo mal-estar.

19.7 A mulher que empolgava o espírito de Jovino ali surgia agora visivelmente materializada aos nossos olhos.

E as duas, assumindo a posição de francas inimigas, passaram à contenda mental.

Lembranças amargas, palavras duras, recíprocas acusações.

A esposa atormentada passou a sentir desagradáveis sensações orgânicas.

O sangue afluía-lhe com abundância à cabeça, impondo-lhe aflitiva tensão cerebral.

Quanto mais se lhe dilatavam os pensamentos de revolta e amargura, mais se lhe avultava o desequilíbrio físico.

Teonília afagou-a, carinhosa, e informou ao nosso orientador:

— Há muitas semanas diariamente se repete o conflito. Temo pela saúde de nossa companheira.

Áulus deu-se pressa em aplicar-lhe recursos magnéticos de alívio e, desde então, as manifestações estranhas diminuíram até completa cessação.

Efetivado o reajustamento relativo de Anésia e percebendo-nos a curiosidade, o assistente esclareceu:

— Jovino permanece atualmente sob imperiosa dominação telepática, a que se rendeu facilmente, e, considerando-se que marido e mulher respiram em regime de influência mútua, a atuação que o nosso amigo vem sofrendo envolve Anésia, atingindo-a de modo lastimável, porquanto a pobrezinha não tem sabido imunizar-se com os benefícios do perdão incondicional.

Hilário, intrigado, perguntou:

— Examinamos, porém, um fenômeno comum?

— Intensamente generalizado. É a influenciação de almas encarnadas entre si que, às vezes, alcança o clima de perigosa obsessão. Milhões de lares podem ser comparados a trincheiras de luta, em que pensamentos guerreiam pensamentos, assumindo as mais diversas formas de angústia e repulsão.

— E poderíamos enquadrar o assunto nos domínios da mediunidade?

— Perfeitamente, cabendo-nos acrescentar ainda que o fenômeno pertence à sintonia. Muitos processos de alienação mental guardam nele as origens. Muitas vezes, dentro do mesmo lar, da mesma família ou da mesma instituição, adversários ferrenhos do passado se reencontram. Chamados pela esfera superior ao reajuste, raramente conseguem superar a aversão de que se veem possuídos, uns à frente dos outros, e alimentam com paixão, no imo de si mesmos, os raios tóxicos da antipatia que, concentrados, se transformam em venenos magnéticos, suscetíveis de provocar a enfermidade e a morte. Para isso, não será necessário que a perseguição recíproca se expresse em contendas visíveis. Bastam as vibrações silenciosas de crueldade e despeito, ódio e ciúme, violência e desespero, as quais, alimentadas, de parte a parte, constituem corrosivos destruidores.

Finda ligeira pausa, o assistente continuou:

— O pensamento exterioriza-se e projeta-se, formando imagens e sugestões que arremessa sobre os objetivos que se propõe atingir. Quando benigno e edificante, ajusta-se às Leis que nos regem, criando harmonia e felicidade; todavia, quando desequilibrado e deprimente, estabelece aflição e ruína. A química mental vive na base de todas as transformações, porque realmente evoluímos em profunda comunhão telepática com todos aqueles encarnados ou desencarnados que se afinam conosco.

— E como solucionar o problema da antipatia contra nós? — indagou meu companheiro com interesse.

Áulus sorriu e respondeu:

— A melhor maneira de extinguir o fogo é recusar-lhe combustível. A fraternidade operante será sempre o remédio

19.8

eficaz ante as perturbações dessa natureza. Por isso mesmo, o Cristo aconselhava-nos o amor aos adversários, o auxílio aos que nos perseguem e a oração pelos que nos caluniam, como atitudes indispensáveis à garantia de nossa paz e de nossa vitória.

19.9 Nesse instante, porém, Anésia consultara o relógio e reerguera-se.

Vinte horas.

Era o momento preciso de suas preces junto da mãezinha doente, e acompanhamo-la, atenciosos, a fim de igualmente orarmos.

20
Mediunidade e oração

20.1   Em estreito aposento, uma senhora, aparentando 70 anos, acusava aflitiva dispneia.

A pequena Márcia, agitando um leque improvisado, propiciava-lhe ar fresco.

Ao lado da enferma, porém, uma entidade de aspecto desagradável exibia estranha máscara de perturbação e sofrimento, imantando-se a ela e agravando-lhe os tormentos físicos.

Tratava-se de um homem desencarnado, demonstrando no olhar a alienação mental evidente.

Enquanto Anésia se acomodou junto à doente, com inexcedível ternura, procurando esquecer-se de si mesma para ajudá-la, Áulus informou prestimoso:

— Temos aqui nossa irmã Elisa, em avançado processo liberatório... Vive as últimas horas no corpo carnal...

— E este homem de triste apresentação que lhe guarda a cabeceira? — perguntou Hilário, indicando a entidade que não nos via.

— Este é um infortunado filho de nossa veneranda amiga, **20.2** há muitos anos distanciado da experiência física. Teve a infelicidade de chafurdar no vício da embriaguez e foi assassinado numa noite de extravagância. A genitora, porém, dele se recorda como a um herói, e, a evocá-lo incessantemente, retém o infeliz ao pé do próprio leito.

— Ora essa! Por quê?

O assistente modificou o tom de voz e recomendou-nos serenidade. Analisaríamos o caso em momento oportuno. O problema de Anésia pedia colaboração imediata.

Realmente, a pobre senhora, de fisionomia fatigada, acariciava a enferma com palavras de amor, mas dona Elisa parecia aloucada, distante...

Anésia desfez-se em lágrimas.

— Por que chorar, mãezinha? Vovó não está pior...

A voz meiga de Márcia ressoou no quarto, modulada com inefável carinho.

A menina, que nem de longe poderia perceber a tortura materna, enlaçou a genitora, convidando-a à oração.

Dona Anésia desejou a presença das filhas mais velhas; contudo, Marcina e Marta alegaram que o natalício de uma companheira de trabalho lhes impunha a necessidade de sair por alguns minutos.

A dona da casa sentou-se rente à enferma e, acompanhada pela atenção da filhinha, pronunciou sentida prece.

À medida que orava, funda modificação se lhe imprimia ao mundo interior. Os dardos de tristeza, que lhe dilaceravam a alma, desapareceram ante os raios de branda luz a se lhe exteriorizarem do coração. Desde esse instante, qual se houvera acendido uma lâmpada em plena obscuridade, vários desencarnados sofredores penetraram o quarto, abeirando-se dela, à maneira de doentes solicitando medicação.

20.3 Nenhum deles nos assinalava a presença e, diante da nossa curiosidade silenciosa, Áulus aclarou:

— São companheiros que trazem ainda a mente em teor vibratório idêntico ao da existência na carne. Na fase em que estagiam, mais depressa se ajustam com o auxílio dos encarnados, em cuja faixa de impressões ainda respiram. Quantos se encontram em semelhante estado, dentro do raio de ação das preces de nossa amiga, recebem o toque de espiritualidade que emana do serviço dessa natureza e, quando sensíveis ao bem ou sedentos de renovação interior, dão-se pressa em responder ao apelo de elevação que os visita, aderindo à oração, de cujo sublime poder recolhem esclarecimento e consolo, amparo e benefício.

— Quanto valor num insignificante ato de fé!...

O assistente afagou a fronte inquieta de Hilário e concordou:

— Sim, o homem terrestre criou enormes complicações ao seu caminho; contudo, a morte constrange-o a regressar aos alicerces da simplicidade para a regeneração da própria vida.

A essa altura, Anésia abriu precioso livro de meditações evangélicas, acreditando agir ao acaso, mas o tema, em verdade, foi escolhido por Teonília, que lhe vigiava, bondosa, os movimentos.

Com surpresa, a dona da casa notou que o texto se reportava à necessidade do trabalho e do perdão.

Dócil, correspondendo à influenciação da mentora espiritual, a esposa de Jovino começou a falar sabiamente sobre os impositivos do serviço e da tolerância construtiva em favor da edificação justa do bem.

A voz dela, fluente e suave, transmitia, sem que ela mesma percebesse, o pensamento de Teonília que, com isso, buscava socorrer-lhe o coração atormentado.

Numa pausa mais longa, Márcia reparou com inteligência:

— Continue, mãezinha! Continue... Tenho a ideia de que nos achamos à frente de enorme multidão...

E sem refletir que estava pregando, acima de tudo, para si mesma, Anésia adiantou: **20.4**

— Sim, minha filha, estamos sozinhas porque a vovó, fatigada, não nos ouve. Isso, porém, é só na aparência. Muitos irmãos desencarnados, decerto, permanecem aqui conosco e acompanham nosso culto de oração.

E prosseguiu nos comentários que, efetivamente, acendiam novo ânimo nas almas presentes, ávidas de luz, tanto quanto sequiosas de paz e refazimento.

Terminada a tarefa, Márcia despediu-se da mãezinha com um beijo.

O serviço escolar da manhã exigia o repouso mais cedo.

Depois de afetuosas recomendações à menina, viu-se Anésia a sós com a genitora semi-inconsciente.

Acariciou-lhe o rosto pergaminhado e pálido, acomodou-lhe a cabeça suarenta nos travesseiros e estirou-se ao lado dela, como que procurando pensar, pensar...

Áulus fez significativo gesto a Teonília e exclamou:

— Este é o momento exato.

Cuidadosamente, começaram ambos a aplicar-lhe passes sobre a cabeça, concentrando energia magnética ao longo das células corticais.

Anésia viu-se presa de branda hipnose, que ela própria atribuía ao cansaço e não relutou.

Em breves instantes, deixava o corpo denso na prostração do sono, vindo ao nosso encontro em desdobramento quase natural.

Não parecia, contudo, tão consciente em nosso plano quanto seria de desejar.

Centralizada no afeto ao marido, Jovino constituía-lhe obcecante preocupação. Reconheceu Teonília e Áulus por benfeitores e lançou-nos significativo olhar de simpatia; no entanto, mostrava-se atordoada, aflita... Queria ver o esposo, ouvir o esposo...

20.5   O assistente deliberou satisfazê-la.

Amparada pelos braços da admirável amiga, tomou a direção que lhe pareceu acertada, como quem possuía, de antemão, todos os dados necessários à localização do marido.

Áulus conosco explicou que as almas, quando associadas entre si, vivem ligadas umas às outras pela imanação magnética, superando obstáculos e distâncias.

Em vasto salão de um clube noturno, surpreendemos Jovino e a mulher que se fizera nossa conhecida nos fenômenos telepáticos, integrando um grupo alegre, em atitudes de profunda intimidade afetiva.

Rodeando o conjunto, diversas entidades, estranhas para nós, formavam vicioso círculo de vampiros que não nos registraram a presença.

O anedotário menos edificante prendia as atenções.

Ao defrontar o companheiro na posição em que se achava, Anésia desferiu doloroso grito e caiu em pranto.

Seguida por nós, recuou ferida de aflição e assombro, e tão logo nos vimos na via pública, bafejados pelo ar leve da noite, o assistente abraçou-a paternalmente.

Notando-a mais senhora de si, embora o sofrimento lhe transfigurasse o rosto, falou-lhe com extremado carinho:

— Minha irmã, recomponha-se. Você orou, pedindo assistência espiritual, e aqui estamos, trazendo-lhe solidariedade. Reanime-se! Não perca a esperança!...

— Esperança? — clamou a pobre criatura em lágrimas. — Fui traída, miseravelmente traída...

E o entendimento, entre os dois, prosseguiu comovente e expressivo.

— Traída por quem?

— Por meu esposo, que falhou aos compromissos do casamento.

— Mas você admite, porventura, que o casamento seja **20.6** uma simples excursão no jardim da carne? Supôs que o matrimônio terrestre fosse apenas a música da ilusão a eternizar-se no tempo? Minha amiga, o lar é uma escola em que as almas se reaproximam para o serviço da sua própria regeneração, com vistas ao aprimoramento que nos cabe apresentar de futuro. Você ignora que no educandário há professores e alunos? Desconhece que os melhores devem ajudar os menos bons?

A interlocutora, chamada a brios, sustou a lamentação. Ainda assim, após fitar o nosso orientador com entranhada confiança, alegou triste:

— Mas Jovino...

Áulus, porém, cortou-lhe a frase, acrescentando:

— Esquece-se de que seu esposo precisa muito mais agora de seu entendimento e carinho? Nem sempre a mulher poderá ver no companheiro o homem amado com ternura, mas sim um filho espiritual necessitado de compreensão e sacrifício para soerguer-se, como também nem sempre o homem conseguirá contemplar na esposa a flor de seus primeiros sonhos, mas sim uma filha do coração, a requisitar-lhe tolerância e bondade, a fim de que se transfira da sombra para a luz. Anésia, o amor não é tão somente a ventura rósea e doce do sexo perfeitamente atendido. É uma luz que brilha mais alto, inspirando a coragem da renúncia e do perdão incondicionais, em favor do ser e dos seres que nós amamos. Jovino é uma planta que o Senhor lhe confiou às mãos de jardineira. É compreensível que a planta seja assaltada pelos parasitas ou pelos vermes da morte; todavia, nada há a recear se a jardineira está vigilante...

Nesse ponto das belas palavras do instrutor, a mãezinha de Márcia voltou-se para ele, à maneira de uma doente agarrando-se ao médico, e rogou em voz súplice:

— Sim, sim... Reconheço... Entretanto, não me deixe sozinha... Sinto-me atribulada. Que fazer da mulher que o domina?

Nela vejo a perturbação e o fel de nossa casa... Assemelha-se a um Espírito diabólico, fascinando-o e destruindo-o...

20.7 — Não se refira a ela assim, com palavras amargas! É também nossa irmã, vitimada por lastimáveis enganos!...

— Mas como aceitá-la? Percebo-lhe a influência maligna... Parece uma serpente invisível, trazendo consigo pavorosos monstros para junto de nós... Nosso templo doméstico, por isso, transformou-se num inferno em que não mais nos entendemos... Tudo agora é fracasso, desarmonia e insegurança... Que fazer de semelhante criatura?

— Compadeçamo-nos dela! Terrível ser-lhe-á o despertamento.

— Compaixão?

— E que outra melhor represália senão essa?

— Não seria mais justo situá-la na reparação dos próprios erros? Não seria mais certo relegá-la ao lugar escuro que merece?

Áulus, porém, tomou-lhe a destra inquieta e esclareceu:

— Abstenhamo-nos de julgar. Consoante a lição do Mestre que hoje abraçamos, o amor deve ser nossa única atitude para com os adversários. A vingança, Anésia, é a alma da magia negra. Mal por mal significa o eclipse absoluto da razão. E, sob o império da sombra, que poderemos aguardar senão a cegueira e a morte? Por mais aflitiva lhe seja a lembrança dessa mulher, recorde-a, em suas preces e em suas meditações, por irmã necessitada de nossa assistência fraterna. Ainda não readquirimos nossa memória integral do passado nem sabemos o que nos ocorrerá no futuro... Quem terá sido ela no pretérito? Alguém que ajudamos ou ferimos? Quem será para nós no porvir? Nossa mãe ou nossa filha? Não condene! O ódio é como o incêndio que tudo consome, mas o amor sabe como apagar o fogo e reconstruir. Segundo a Lei, o bem neutraliza o mal, que se transforma, por fim, em servidor do próprio bem. Ainda que tudo pareça conspirar contra a sua felicidade, ame e ajude sempre, porque o tempo se incumbirá de expulsar as trevas que nos visitam, à medida que se nos aumente o mérito moral.

Anésia, assemelhando-se a uma criança resignada, pousou no benfeitor os olhos límpidos, como a prometer-lhe obediência, e Áulus, afagando-a, recomendou:

20.8

— Volte ao lar e use a humildade e o perdão, o trabalho e a prece, a bondade e o silêncio, na defesa de sua segurança. A mãezinha enferma e as filhinhas reclamam-lhe amor puro, tanto quanto o nosso Jovino, que voltará, mais experiente, ao refúgio de seu coração.

Anésia ergueu a cabeça para o firmamento constelado de luz, pronunciando uma oração de louvor e, em seguida, tornou a casa.

Vimo-la despertar no corpo carnal, de alma renovada, quase feliz...

Enxugou as lágrimas que lhe banhavam o rosto e tentou ansiosamente recordar, ponto a ponto, a entrevista que tivera conosco.

Em verdade, não conseguiu alinhar senão fragmentárias reminiscências, mas reconheceu-se reconfortada, sem revolta e sem amargura, como se mãos intangíveis lhe houvessem lavado a mente, conferindo-lhe uma compreensão mais clara da vida.

Recordou Jovino e a mulher que o hipnotizava compadecidamente, como pessoas a lhe exigirem tolerância e piedade.

Profundo entendimento brotava-lhe agora do espírito. A compreensão da irmã superara o desequilíbrio da mulher.

E pensava: "Que lhe adiantaria a revolta ou o desânimo, quando lhe competia a defesa do lar? Fazendo justiça com as próprias mãos, não prejudicaria aqueles que lhe constituíam a riqueza do coração?! Em qualquer parte, o escândalo é a ruína da felicidade... Não devia render graças a Deus por sentir-se na condição da esposa digna? Sim, decerto a pobre criatura que lhe perturbava o marido não havia acordado ainda para a responsabilidade e para o discernimento. Necessitava, pois, de compaixão e de amparo, em vez de crítica e azedume...".

20.9 Consolada e satisfeita, passou à medicação da genitora.

Hilário, admirado, exaltou os méritos da oração, ao que Áulus enunciou:

— Em todos os processos de nosso intercâmbio com os encarnados, desde a mediunidade torturada à mediunidade gloriosa, a prece é abençoada luz, assimilando correntes superiores de força mental que nos auxiliam no resgate ou na ascensão.

Indicando a dona da casa, agora em serviço no aposento, meu colega observou:

— Vemos, então, em nossa amiga preciosa mediunidade a desenvolver-se...

— Como acontece a milhões de pessoas — disse o orientador —, ela detém consigo recursos medianímicos apreciáveis, que podem ser inclinados para o bem ou para o mal, competindo-lhe a obrigação de construir dentro de si mesma a fortaleza de conhecimento e vigilância, na qual possa desfrutar, em pensamento, as companhias espirituais que mais lhe convenham à felicidade.

— E pela prece busca solução para os enigmas que lhe flagelam a existência...

Áulus sorriu e ajuntou:

— Encontramos aqui precioso ensinamento acerca da oração... Anésia, mobilizando-a, não conseguiu modificar os fatos em si, mas logrou modificar a si mesma. As dificuldades presentes não se alteraram. Jovino continua em perigo, a casa prossegue ameaçada em seus alicerces morais, a velhinha doente aproxima-se da morte; entretanto, nossa irmã recolheu expressivo coeficiente de energias para aceitar as provações que lhe cabem, vencendo-as com paciência e valor. E um espírito transformado, naturalmente, transforma as situações.

O assistente, contudo, interrompeu-se e lembrou-nos o horário de volta.

Por solicitação de Teonília, examinou a doente e concluiu que a desencarnação de dona Elisa estava próxima.

Externei o desejo de analisar-lhe o campo orgânico; todavia, o instrutor recordou-nos a hora avançada e prometeu voltar conosco, em tarefa de assistência à velhinha, na noite próxima.

21
Mediunidade no leito de morte

21.1 Na noite seguinte, voltamos ao lar de Anésia, com o objetivo particular de socorrer-lhe a mãezinha doente.
Dona Elisa piorara.
Encontramo-la agitada, a desligar-se do corpo físico.
O médico da família examinava-lhe o quadro orgânico, evidenciando preocupação e desalento.
O estetoscópio dava-lhe a conhecer a posição difícil do coração exausto. Além disso, o elevado teor de ureia favorecia a intoxicação alarmante. Previa o fim próximo da resistência física; entretanto, o delírio da enferma desnorteava-o. Dona Elisa via-se presa de estranha perturbação mental.
Superexcitada, aflita, declarava-se perseguida por um homem que se propunha abatê-la a tiros, clamava pelo filho desde muito na vida espiritual e dizia ver serpentes e aranhas ao pé do leito.

A despeito do suor pastoso de quem se aproxima da morte **21.2**
e da extrema palidez que lhe desfigurava a máscara fisionômica, fazia supremo esforço para continuar falando em voz alta.

O facultativo convidou a dona da casa a entendimento reservado e comunicou-lhe as péssimas impressões de que se via possuído.

A enferma deveria prosseguir com medicação de emergência, em face da crise; contudo, a noite ser-lhe-ia sacrificial. A uremia avançava célere, o coração era um barco desgovernado e, por isso, o colapso poderia surpreendê-la de momento para outro.

Anésia acolheu a palavra do clínico, enxugando as lágrimas que teimavam em lhe saltar dos olhos.

Despediu-se dele e colocou-se em oração, confiando-se à influência de Teonília, que lhe seguia os passos, qual se lhe fora abnegado nume protetor. Sem conseguir explicar a si mesma a serenidade balsâmica que lhe tomou gradativamente a alma, aquietou-se entre a fé e a paciência, na certeza de que não lhe faltaria o amparo do plano superior. Longe de perceber a ternura de que era objeto, por parte da devotada amiga, recebia-lhe os apelos confortadores em forma de sublimes pensamentos de esperança e de paz.

Demorou-se na contemplação da anciã que pedia socorro em voz arrastadiça e fitou-lhe os olhos desmesuradamente abertos, sem expressão...

Profunda piedade assenhoreou-lhe o carinho filial.

— Mãezinha — disse, afetuosa —, sente-se agora melhor?

A interpelada tomou-lhe as mãos, como se fora uma criança medrosa, e sussurrou:

— Minha filha, não estou melhor, porque o assassino me espreita... Não sei como escapar... Estou igualmente cercada de aranhas enormes... Que fazer para salvar-me?!...

E, em seguida, elevando o tom de voz, gritou com lamentosa inflexão:

— Ai! As serpentes!... As serpentes!... Ameaçam-me da porta... Que será de mim?

21.3   Escondia o rosto nas mãos descarnadas e debalde tentava erguer o corpo, movimentando a cabeça trêmula.
— Mãezinha, acalme-se! — rogava a filha comovida. — Confiemos na Providência. Jesus é o nosso amigo vigilante. Por que não esperar pela proteção dele? A senhora vai recuperar-se... Repare com atenção. Nosso quarto está em paz...

Asserenava-se a enferma de algum modo, com a desconfiança e o medo a se lhe estamparem nos olhos e, logo após, constrangendo Anésia a inclinar-se, segredava-lhe aos ouvidos:

— Sinto que o nosso Olímpio está conosco... Meu filho desceu do Céu e veio buscar-me... Não tenho dúvida, é meu filho, sim... Meu filho...

A carinhosa enfermeira acreditou no que ouvia, compreendendo, porém, que a presença do irmão não seria de desejar e convidou a genitora ao serviço da prece. Não seria melhor que se unissem ambas em prece, pedindo o socorro celestial?

E enquanto Anésia se fazia intérprete da assistência de Teonília, a esforçar-se por envolver a velhinha em fluidos calmantes, Áulus convidou-nos a reparar a comunhão entre o filho desencarnado e a pobre mãe a desencarnar.

Olímpio, o rapaz assassinado noutro tempo, jungia-se a ela, à maneira de planta parasitária asfixiando um arbusto raquítico.

— Nossa amiga — explicou o assistente —, em sua doce afetividade, supõe no filho um gênio guardião, quando a realidade é que o infeliz se deixou dominar, mesmo depois de perder o veículo carnal, pelo vício da embriaguez. Alcoólatra impenitente, caiu ante o revólver de um companheiro tão desvairado quanto ele mesmo, numa noite de insânia. Desligado da carne e já intensamente minado pelo *delirium tremens*,[11] não teve forças para mentalizar a recuperação que lhe é imprescindível e prosseguiu em

---

[11] N.E.: Quadro patológico que surge após um longo tempo de consumo excessivo de álcool etílico.

companhia daqueles que lhe pudessem facultar o prolongamento dos excessos em que se compraz... Evocado, contudo, pela insistência materna, veio parar neste quarto, onde se encontra enleado pelas requisições da irmã Elisa. Acontece, no entanto, que, se libertando gradualmente do vaso físico, nossa irmã transfere o campo emotivo do círculo da carne para a esfera do Espírito, passando compulsoriamente a sofrer o influxo pernicioso da entidade que ela própria trouxe para junto de si, usando a vontade e o pensamento. Na posição em que se colocam, são ambos, assim, por força das circunstâncias, duas mentes sintonizadas na mesma faixa de impressões, porque, enfraquecida qual se encontra, a enferma se submete facilmente ao domínio do rapaz, cujo pavor e cujo desequilíbrio se lhe transfundem na alma submissa e afetuosa.

Analisando o fenômeno, perguntei se a associação sob nossa vista poderia ser comparada à incorporação mediúnica, qual a conhecemos. **21.4**

— Sem qualquer dúvida — confirmou o orientador. — Elisa, atraindo o filho, num estado de passividade profunda, que lhe sobrevém por motivo de natural desgaste nervoso e sem experiência que lhe outorgue discernimento e defesa, assimila-lhe, de modo espontâneo, as correntes mentais, retratando-lhe a desarmonia interior. Estando a desencarnar-se devagarinho, reflete-lhe as reminiscências do pretérito e as terríveis visões íntimas que lhe são agora familiares, uma vez que, à distância das libações costumeiras, o infortunado amigo padece as alucinações comuns às vítimas do alcoolismo crônico.

— Céus! — exclamou Hilário, compadecido. — Como relegar uma velhinha doente a provação dessa ordem? Não significará isso clamorosa injustiça?

— Concordo que é lamentável o quadro sob nosso exame — obtemperou o assistente —; entretanto, ninguém trai as leis que nos regem a vida. Elisa, com a presença do filho, recebeu aquilo que procurou ardentemente. Certo, apresenta-se na configuração passageira de uma anciã penetrando a antecâmara da morte; todavia, na realidade, é um Espírito imperecível e responsável, manejando os valores mentais que se expressam e se conjugam, segundo princípios claros e definidos.

21.5 Finda ligeira pausa, acentuou:

— Muita vez, pedimos o que não conhecemos, recolhendo o que não desejamos. No fim, porém, há sempre lucro, porque o Senhor nos permite retirar, de cada situação e de cada problema, os preciosos valores da experiência.

Áulus, contudo, não perdeu tempo em divagações.

Conferenciou reservadamente com Teonília quanto ao serviço programado em favor da enferma e, aceitando-nos a colaboração, desligou o rapaz, usando para isso avançados potenciais magnéticos.

Tão logo se afastou o desventurado Olímpio, identificamos curioso fenômeno. Dona Elisa, que falava singularmente animada, entrou em absoluta prostração, qual se houvera sido manietada.

Assinalando-nos a curiosidade, o orientador esclareceu:

— A atuação do filho desencarnado alimentava-lhe a excitação mental a incidir sobre o campo nervoso. Agora, está confinada às energias que lhe são próprias.

A doente, emitindo sons guturais, calara-se de súbito.

Debalde tentou Anésia arrancar-lhe uma palavra.

Dona Elisa, embora vendo e ouvindo, não mais logrou articular uma frase. Buscou inutilmente mover os braços, ante a dor aguda que passou a registrar no peito; todavia, não teve forças para tanto.

Áulus deu-se pressa em administrar-lhe passes calmantes; contudo, não obteve grande resultado.

— É a contração final das coronárias — exclamou, comovido. — Elisa não resistirá. O miocárdio não mais reage ao nosso influxo magnético. O processo anginoso alcançou o fim.

21.6 Reparei que a agonizante estimaria conversar com a filha; no entanto, incoercível sofrimento constringia-lhe o tórax.

A língua não mais lhe obedecia ao comando íntimo.

Teve a noção de que lhe cabia fazer a viagem do túmulo... Como se um relâmpago lhe rasgasse a noite mental, num desses raros minutos que valem séculos para a alma, reviu apressadamente o passado. Todas as cenas da infância, da mocidade e da madureza reapareceram de inesperado no templo da memória, como que a convidá-la a escrupuloso exame de consciência.

A enferma não vacilou.

Seus momentos na carne estavam contados.

Incapaz de entender-se com a filha, desejou despedir-se de velha irmã que residia a longa distância.

Vimo-la, num supremo esforço, concentrando os próprios pensamentos para satisfazer a essa derradeira aspiração...

Anésia, por sua vez, sob a influência de Teonília, percebeu que a genitora atingira a estação terminal da existência terrestre e, enlaçando-a carinhosamente, orava em pranto silencioso.

A agonizante entendeu-a, mas apenas derramou comoventes lágrimas como resposta.

Demorando na filha o olhar dorido e ansioso, dona Elisa projetou-se, por fim, em nosso meio, mantendo-se, porém, ainda ligada ao veículo físico por um laço de prateada substância.

Enquanto se lhe inteiriçavam os membros, um só pensamento lhe predominava no espírito — dizer adeus à última irmã consanguínea que lhe restava na Terra.

Envolvida na onda de forças, nascida de sua própria obstinação, afastou-se, ligeira, volitando automaticamente no rumo da cidade em que se lhe situava a parenta.

Correspondendo à ordem de Áulus, passamos a segui-la de perto.

Dezenas de quilômetros foram instantaneamente vencidos.

21.7 Em plena noite alta, colocamo-nos ao lado dela, num aposento mal iluminado, em que venerável anciã dormia tranquila.

— Matilde! Matilde!

A recém-chegada tentou despertá-la, à pressa, mas em vão. Consciente de que não dispunha senão de rápidos instantes, vibrou algumas pancadas no leito da irmã, que acordou de chofre, entrando, de imediato, em sua esfera de influência.

Dona Elisa passou a falar-lhe atormentada. Dona Matilde, contudo, não lhe escutava as palavras pelos condutos auditivos do vaso carnal, e sim pelo cérebro, por meio de ondas mentais, em forma de pensamentos a lhe remoinharem ao redor da cabeça.

Reerguendo-se inquieta, falou de si para consigo: "Elisa morreu."

Indicando-nos as duas irmãs juntas, o assistente explicou:

— Temos aqui um dos tipos habituais de comunicação nas ocorrências de morte. Pela persistência com que se repetem, os cientistas do mundo são constrangidos a examiná-los. Alguns atribuem esses fatos a transmissões de ondas telepáticas, ao passo que outros neles encontraram os chamados "fenômenos de monição".[12] Isso tudo, porém, reduz-se na Doutrina do Espiritismo à verdade simples e pura da comunhão direta entre as almas imortais.

— Todas as pessoas, desde que o desejem — perguntou meu colega —, podem efetuar semelhantes despedidas, quando partem da Terra?

— Sim, Hilário, você diz bem quando afirma "desde que o desejem", porque semelhantes comunicações, no instante da morte, somente se realizam por aqueles que concentram a própria força mental num propósito dessa espécie.

---

[12] N.E.: Termo adotado por Charles Richet para indicar o aviso de alguma coisa, sem apontar necessariamente a intervenção de uma inteligência estranha. A monição viria de nossa inteligência inconsciente, que teria adquirido o conhecimento — pela criptestesia — de uma realidade exterior, e que a simbolizaria. Fonte: *Tratado de metapsíquica*.

Todavia, não dispúnhamos de tempo para mais conversações. **21.8**

Dona Elisa, após liberar-se do anseio que lhe inquietava o campo íntimo, qual se o corpo distante lhe reclamasse a presença, à feição do que ocorre num caso de desdobramento vulgar, voltou, de imediato, a casa.

Seguindo-a de perto, notamo-la menos aflita, embora fatigada.

No aposento familiar, quis reaver o veículo físico, satisfazendo aos velhos hábitos, como se a realidade lhe constituísse tão somente estranho pesadelo; contudo, abatida e atormentada, flutuou sobre o leito, ligada aos despojos pelo tênue fio a que nos referimos.

A recém-desencarnada, de alma opressa, resistia à fome de repouso que lhe castigava o pensamento, indecisa e agoniada, sem saber definir se estava viva dentro da morte ou se estava morta dentro da vida.

Outros amigos espirituais penetraram a câmara.

Áulus consultou o horário e acrescentou:

— Voltemos. Nada mais nos cabe fazer.

Hilário fixou o laço prateado entre o corpo hirto e a nossa amiga recém-liberta indagou:

— Não poderemos colaborar no desfazimento desse cordão incômodo?

— Não — explicou o orientador —, esse elo tem a sua função específica no reequilíbrio da alma. Morte e nascimento são operações da vida eterna que demandam trabalho e paciência. Além disso, há companheiros especializados no serviço da libertação última. A eles compete o toque final.

E, acompanhando o instrutor, retiramo-nos do lar de Anésia, onde havíamos recolhido preciosas lições.

22
Emersão do passado

22.1   Em companhia do assistente, tornamos à segunda reunião semanal do grupo presidido pelo irmão Raul Silva, a cuja organização nosso orientador não regateava simpatia e confiança.

O conjunto de trabalhadores não se alterara na constituição que lhe era característica.

A pequena fila dos obsessos, todavia, apresentava modificações. Duas senhoras, seguidas pelos respectivos esposos, e um cavalheiro de fisionomia fatigada integravam a equipe dos que receberiam assistência.

Os médiuns da casa desempenharam caridosa tarefa emprestando as suas possibilidades para a melhoria de várias entidades transviadas na sombra e no sofrimento, com a colaboração eficiente de dona Celina à frente do serviço.

Solucionados diversos problemas alusivos ao programa da noite, eis que uma das senhoras enfermas cai em pranto convulsivo, exclamando:

— Quem me socorre? Quem me socorre?!...

E, comprimindo o peito com as mãos, acrescentava em tom comovedor:

— Covarde! Por que apunhalar, assim, uma indefesa mulher? Serei totalmente culpada? Meu sangue condenará seu nome infeliz...

Raul, com a serenidade habitual, abeirou-se dela e consolou-a com carinho:

— Minha irmã, o perdão é o remédio que nos recompõe a alma doente... Não admita que o desespero lhe subjugue as energias!... Guardar ofensas é conservar a sombra. Esqueçamos o mal para que a luz do bem nos felicite o caminho...

— Olvidar? Nunca... O senhor sabe o que vem a ser uma lâmina enterrada em sua carne? Sabe o que seja a calamidade de um homem que nos suga a existência para arremessar-nos à miséria, comprazendo-se, depois disso, em derramar-nos o próprio sangue?

— Sim, sim, ninguém lhe contraria o direito à justiça, segundo as suas afirmações; entretanto, não será mais aconselhável aguardar o pronunciamento da Bondade divina? Quem de nós estará sem mácula?

— Esperar, esperar?! Há quanto tempo não faço outra coisa! Em vão procuro reaver a alegria... Por mais me dedique ao trabalho de romper com o pretérito, vivo a carregar a sombra de minhas recordações, como quem traz no próprio peito o sepulcro dos sonhos mortos... Tudo por causa dele... Tudo pelo malvado que me arruinou o destino...

E a pobre criatura prorrompeu em soluços, enquanto um homem desencarnado, não longe, fitou-a com inexprimível desalento.

Perplexos, Hilário e eu lançamos um olhar indagador ao assistente, que nos percebeu a estranheza, porquanto a enferma, sem a presença da mulher invisível que parecia personificar, prosseguia em aflitiva posição de sofrimento.

22.3	— Não vejo a entidade de quem a nossa irmã se faz intérprete — alegou Hilário, curioso.

— Sim — disse por minha vez —; observo em nossa vizinhança um triste companheiro desencarnado, mas se ele estivesse telepaticamente ligado à nossa amiga, decerto a mensagem definiria a palavra de um homem, sem as características femininas da lamentação que registramos... Em verdade, não notamos aqui qualquer laço magnético que nos induza a assinalar fluidos teledinâmicos sobre a mente da médium...

Áulus afagou a fronte da doente em lágrimas, como se lhe auscultasse o pensamento, e explicou:

— Estamos diante do passado de nossa companheira. A mágoa e o azedume, tanto quanto a personalidade supostamente exótica de que dá testemunho, tudo procede dela mesma... Ante a aproximação de antigo desafeto, que ainda a persegue de nosso plano, revive a experiência dolorosa que lhe ocorreu, em cidade do Velho Mundo, no século passado, e entra em seguida a padecer insopitável melancolia.

Recomeçou a luta na carne, na presente reencarnação, possuída de novas esperanças; contudo, tão logo experimenta a visitação espiritual do antigo verdugo, que a ela se enleia por meio de vigorosos laços de amor e ódio, perturba-se-lhe a vida mental, necessitada de mais ampla reeducação. É um caso no qual se faz possível a colheita de valiosos ensinamentos.

— Isso quer dizer, então...

A frase de Hilário ficou, porém, no ar, porque o instrutor lhe definiu o pensamento, acrescentando:

— Isso quer dizer que nossa irmã imobilizou grande coeficiente de forças do seu mundo emotivo, em torno da experiência a que nos referimos, a ponto de semelhante cristalização mental haver superado o choque biológico do renascimento no corpo físico, prosseguindo quase que intacta. Fixando-se nessa lembrança, quando instada de mais perto pelo companheiro que lhe foi irrefletido algoz, passa a comportar-se qual se estivesse ainda no passado que teima em ressuscitar. É então que se dá a conhecer como personalidade diferente, a referir-se à vida anterior.

Sorrindo, paternal, considerou: 22.4

— Sem dúvida, em tais momentos, é alguém que volta do pretérito a comunicar-se com o presente, porque ao influxo das recordações penosas de que se vê assaltada, centraliza todos os seus recursos mnemônicos tão somente no ponto nevrálgico em que viciou o pensamento. Para o psiquiatra comum é apenas uma candidata à insulinoterapia ou ao eletrochoque; entretanto, para nós, é uma enferma espiritual, uma consciência torturada, exigindo amparo moral e cultural para a renovação íntima, única base sólida que lhe assegurará o reajustamento definitivo.

Analisei-a com atenção e concluí:

— Mediunicamente falando, vemos aqui um processo de autêntico animismo. Nossa amiga supõe encarnar uma personalidade diferente, quando apenas exterioriza o mundo de si mesma...

— Poderíamos, então, classificar o fato no quadro da mistificação inconsciente? — interferiu Hilário, indagador.

Áulus meditou um minuto e ponderou:

— Muitos companheiros matriculados no serviço de implantação da Nova Era, sob a égide do Espiritismo, vêm convertendo a teoria animista num travão injustificável a lhes congelarem preciosas oportunidades de realização do bem; portanto, não nos cabe adotar como justas as palavras "mistificação inconsciente ou subconsciente" para batizar o fenômeno. Na realidade, a manifestação decorre dos próprios sentimentos de nossa amiga, arrojados ao pretérito, de onde recolhe as impressões deprimentes de que se vê possuída, externando-as no meio em que se encontra. E a pobrezinha efetua isso quase na posição de perfeita sonâmbula, porquanto se concentra totalmente nas recordações que já assinalamos, como se reunisse todas as energias da memória numa simples ferida, com inteira despreocupação das responsabilidades que a reencarnação atual lhe confere. Achamo-nos, por esse motivo, perante uma doente mental, requisitando-nos o maior carinho para que se recupere. Para sanar-lhe a inquietação, todavia, não nos bastam diagnósticos complicados ou meras definições técnicas no campo verbalista, se não houver o calor da assistência amiga.

22.5 Nosso orientador fez ligeira pausa, acariciando a enferma, e, enquanto Raul Silva continuava a doutriná-la e a consolá-la, notificou-nos bondoso:

— Deve ser tratada com a mesma atenção que ministramos aos sofredores que se comunicam. É também um Espírito imortal solicitando-nos concurso e entendimento para que se lhe restabeleça a harmonia. A ideia de mistificação talvez nos impelisse a desrespeitosa atitude, diante do seu padecimento moral. Por isso, nessas circunstâncias, é preciso armar o coração de amor, a fim de que possamos auxiliar e compreender. Um doutrinador sem tato fraterno apenas lhe agravaria o problema, porque, a pretexto de servir à verdade, talvez lhe impusesse corretivo inoportuno em vez de socorro providencial. Primeiro, é preciso remover o mal, para depois fortificar a vítima na sua própria defesa. Felizmente, o nosso Raul assimila as correntes espirituais que prevalecem aqui, tornando-se o enfermeiro ideal para as situações dessa ordem.

Hilário, tanto quanto eu, edificado com os ensinamentos ouvidos, perguntou respeitoso:

— E podemos considerá-la médium, mesmo assim?

— Como não? Um vaso defeituoso pode ser consertado e restituído ao serviço. Naturalmente, agora a paciência e a caridade necessitam agir para salvá-la. Nossa irmã deve ser ouvida na posição em que se revela, como se fosse em tudo a desventurada mulher de outro tempo, e recebida por nós nessa base, para que use o remédio moral que lhe estendemos, desligando-se, enfim, do passado... O assunto não comporta desmentido, porque indiscutivelmente essa mulher existe ainda nela mesma. A personalidade antiga não foi tão eclipsada pela matéria densa como seria de desejar. Ela renasceu pela carne, sem renovar-se em espírito...

    O assistente fixou o gesto de quem mergulhava na própria consciência a sonda de suas reflexões e falou, qual se o fizesse de si para consigo:

— Ela representa milhares de criaturas aos nossos olhos!... Quantos mendigos arrastam na Terra o esburacado manto da fidalguia efêmera que envergaram outrora! Quantos escravos da necessidade e da dor trazem consigo a vaidade e o orgulho dos poderosos senhores que já foram em outras épocas!... Quantas almas conduzidas à ligação consanguínea caminham do berço ao túmulo, transportando quistos invisíveis de aversão e ódio aos próprios parentes, que lhes foram duros adversários em existências pregressas!... Todos podemos cair em semelhantes estados se não aprendemos a cultivar o esquecimento do mal, em marcha incessante com o bem...

    Nessa altura, Raul Silva, na condição de hábil psicólogo, convidou a doente ao benefício da prece.

    Competia a ela suplicar ao Céu a graça do olvido. Cabia-lhe expungir o passado da imaginação, de maneira a pacificar-se. E, singularmente comovido, recomendou-lhe repetir em companhia dele as frases sublimes da oração dominical.

    A pobre senhora acompanhou-o docilmente.

    Ao término da súplica, mostrava-se mais tranquila.

    O prestimoso amigo, traduzindo a colaboração do mentor que o acompanhava solícito, rogou-lhe considerar, acima de tudo, o impositivo do perdão aos inimigos para a reconquista da paz e, em lágrimas, a enferma desligou-se das impressões que a imobilizavam no pretérito, tornando à posição normal.

22.7   Enquanto Silva lhe aplicava passes de reconforto, o assistente comentou:

— Outra não pode ser, por enquanto, a intervenção assistencial em seu benefício. Pela enfermagem espiritual bem conduzida, reajustar-se-á pouco a pouco, retomando o império sobre si mesma e capacitando-se para o desempenho de valiosas tarefas mediúnicas mais tarde.

Estimaríamos a possibilidade de continuar analisando o caso sob nossa vista; contudo, a outra senhora doente passou de improviso ao transe agitado e era preciso estudar, fazendo o melhor.

23
Fascinação

23.1 Levantara-se a dama, de esquisita maneira, e, rodopiando sobre os calcanhares, qual se um motor lhe acionasse os nervos, caiu em convulsões, inspirando piedade.

Jazia sob o império de impassíveis entidades da sombra, sofrendo, contudo, mais fortemente, a atuação de uma delas que, ao enlaçá-la, parecia interessada em aniquilar-lhe a existência. A infortunada senhora, quase que uivando, à semelhança de loba ferida, gritava a debater-se no piso da sala, sob o olhar consternado de Raul, que exorava a Bondade divina em silêncio.

Coleando pelo chão, adquiria animalesco aspecto, não obstante sob a guarda generosa de sentinelas da casa.

Áulus e o irmão Clementino, usando avançados recursos magnéticos, interferiram no deplorável duelo, constrangendo o obsessor a desvencilhar-se, de certo modo, da enferma que continuou, ainda assim, dominada por ele, a estreita distância.

Após reerguer a doente, auxiliando-a a sentar-se rente ao marido, nosso instrutor deu-se pressa em explicar-nos:

— É um problema complexo de fascinação. Nossa irmã 23.2 permanece controlada por terrível hipnotizador desencarnado, assistido por vários companheiros que se deixaram vencer pelas teias da vingança. No ímpeto de ódio com que se lança sobre a infeliz, propõe-se humilhá-la, utilizando-se da sugestão. Não fosse o concurso fraternal que veio recolher neste santuário de prece, em transes como este seria vítima integral da licantropia[13] deformante. Muitos Espíritos, pervertidos no crime, abusam dos poderes da inteligência, fazendo pesar tigrina crueldade sobre quantos ainda sintonizam com eles pelos débitos do passado. A semelhantes vampiros devemos muitos quadros dolorosos da patologia mental nos manicômios, em que numerosos pacientes, sob intensiva ação hipnótica, imitam costumes, posições e atitudes de animais diversos.

Ao passo que a doente gemia de estranho modo, amparada pelo esposo e por Raul, que se esmerava no auxílio, Hilário, espantado, indagou:

— Tão doloroso fenômeno é comum?

— Muito generalizado nos processos expiatórios em que os Espíritos acumpliciados na delinquência descambam para a esfera vibratória dos brutos — esclareceu nosso orientador, coadjuvando em benefício da enferma, cujo cérebro prosseguia governado pelo insensível perseguidor como brinquedo em mãos de criança.

— E por que não separar de vez o algoz da vítima?

— Calma, Hilário! — ponderou o assistente. — Ainda não examinamos o assunto em sua estrutura básica. Toda obsessão tem alicerces na reciprocidade. Recordemos o ensinamento de nosso divino Mestre. Não basta arrancar o joio. É preciso saber até que ponto a raiz dele se entranha no solo com a raiz do trigo, para que não venhamos a esmagar um e outro. Não há dor

---

[13] N.E.: Ideia fixa na qual o doente se acredita transformado em lobo ou outro animal selvagem.

Nos domínios da mediunidade | Capítulo 23

sem razão. Atendamos, assim, à lei da cooperação, sem o propósito de nos anteciparmos à Justiça divina.

23.3 Raul, sob o controle do mentor da casa, tentava sossegar o agitado comunicante, recordando-lhe as vantagens do perdão e incutindo-lhe a conveniência da humildade e da prece.

Aflito, como não querendo perder o fio da lição, meu colega abeirou-se de nosso orientador e alegou:

— Todavia, para colaborar em favor desses irmãos em desespero, será suficiente o concurso verbalista?

— Não lhes estendemos simplesmente palavras, mas acima de tudo o nosso sentimento. Toda frase articulada com amor é uma projeção de nós mesmos. Portanto, se é incontestável a nossa impossibilidade de oferecer-lhes a libertação prematura, estamos doando, em favor deles, a nossa boa vontade, por meio do verbo nascido de nossos corações, igualmente necessitados de plena redenção com o Cristo.

E, num tom demasiado significativo, Áulus acrescentou:

— Analisando o pretérito, ao qual todos nos ligamos pelas lembranças amargas, somos enfermos em assistência recíproca. Não seria lícito guardarmos a pretensão de lavrar sentenças definitivas pró ou contra ninguém, porque, na posição em que ainda nos achamos, todos possuímos contas maiores ou menores por liquidar.

Interrompendo a conversação, nosso instrutor lançou-se ao amparo eficiente da dupla em desesperada contenda.

Para o cuidado fraterno de que dava testemunho, a doente e o perseguidor mereciam igual carinho.

Aplicou passes de desobstrução à garganta da enferma e, em breves instantes, o verdugo começou a falar, por intermédio dela, numa algaravia,[14] cujo sentido literal não conseguíamos perceber.

---
[14] N.E.: Linguagem muito confusa, incompreensível.

Entretanto, pela onda de pensamento que lhe caracteriza- **23.4**
va a manifestação, sabíamos que a ira se lhe extravasava do ser.

Raul Silva, a seu turno, recolhendo impressões idênticas, pela dura inflexão da voz com que as palavras eram pronunciadas, procurava asserená-lo quase em vão.

Observando a enferma completamente transfigurada e assinalando-nos a muda interrogação, Áulus se deteve por alguns minutos a auscultar o cérebro do comunicante e o da médium, como a sondar-lhes o mundo íntimo, e, em seguida, voltou para junto de nós.

Diante da profunda apreensão que passou a dominar-lhe o rosto, Hilário tomou-me a dianteira, inquirindo assombrado:

— A que causa atribuir semelhante conflito?

— Tentei alguma penetração no passado a fim de algo saber — respondeu o orientador, entristecido. — As raízes da desavença vêm de longa distância no tempo. Não obstante o dever de não relacionar pormenores, para não conferir maior saliência ao mal, posso dizer-lhe que o enigma perdura vai já em pouco mais de um milênio. Nosso infeliz irmão fala um antigo dialeto da velha Toscana, onde, satisfazendo a obsidiada de hoje, se fez cruel estrangulador. Era legionário de Ugo, o poderoso duque da Provença, no século X... Pela exteriorização a que se confia, acompanho-lhe as terríveis reminiscências... Reporta-se ao saque de que participou na época a que nos referimos, no qual, para satisfazer à mulher que lhe não correspondeu ao devotamento, teve a infelicidade de aniquilar os próprios pais... Tem o coração como um vaso transbordante de fel...

Porque o assistente se interrompera, meu colega, naturalmente tão interessado quanto eu em maiores revelações, pediu-lhe mais ampla incursão no passado, ao que Áulus nos recomendou aquietássemos o espírito de consulta.

A volta aos quadros terrificantes, largados ao longe por aquelas almas em sofrimento, a ninguém edificaria.

23.5   Eram dois corações desesperados, no inferno estabelecido por eles mesmos. Não convinha analisar-lhes o sepulcro de fogo e lama, nas sombras da retaguarda. Restaurando a atenção no estudo que nos cabia fazer, lembrei a questão do idioma.

Achávamo-nos no Brasil e a obsidiada ensaiava frases num dialeto já morto.

Por que motivo não assimilava o pensamento da entidade, a empolgar-lhe o cérebro em ondas insofreáveis, transformando-o em palavras do português corrente, qual acontecera em numerosos processos de intercâmbio sob nossa observação?

— Estamos à frente de um caso de mediunidade poliglota ou de xenoglossia — explicou o assistente. — O filtro mediúnico e a entidade que se utiliza dele acham-se tão intensamente afinados entre si que a passividade do instrumento é absoluta, sob o império da vontade que o comanda de modo positivo. O obsessor, por mais estranho pareça, jaz ainda enredado nos hábitos por que pautava a sua existência, há séculos, e, exprimindo-se pela médium, usa modos e frases que lhe foram típicos.

— Isso, entretanto — objetou Hilário —, é atribuível à mediunidade propriamente dita ou à sintonia mais completa?

— O problema é de sintonia — informou o assistente.

— Contudo, se a doente não lhe houvesse partilhado da experiência terrestre, como legítima associada de seu destino, poderia o comunicante externar-se no dialeto com que se caracteriza?

— Positivamente não — esclareceu Áulus. — Em todos os casos de xenoglossia, é preciso lembrar que as forças do passado são trazidas ao presente. Os desencarnados, elaborando fenômenos dessa ordem, interferem, quase sempre, por meio de impulsos automáticos, nas energias subconscienciais, mas exclusivamente por intermédio de personalidades que lhes são afins no tempo. Quando um médium analfabeto se põe a escrever sob o controle de um amigo domiciliado em nosso plano, isso não quer dizer que o mensageiro espiritual haja removido milagrosamente as pedras da ignorância. Mostra simplesmente que o psicógrafo traz consigo, de outras encarnações, a arte da escrita já conquistada e retida no arquivo da memória, cujos centros o companheiro desencarnado consegue manobrar.

Hilário fez o gesto indagador do aprendiz e insistiu: **23.6**

— Podemos concluir, então, que se a enferma fosse apenas médium, sem o pretérito de que dá testemunho, a entidade não se exprimiria por ela numa expressão cultural diferente da que lhe é própria...

— Sim, sem dúvida alguma — aprovou o instrutor —; em mediunidade há também o problema da sintonia no tempo...

E, de olhar vago, acentuou:

— O fato sob nossas vistas pode ser, de certo modo, comparado às correntes d'água. Cada qual tem o seu nível. As águas à flor da terra guardam a serventia e o encanto que lhes são peculiares; contudo, somente as águas profundas encerram o tesouro educado ou inculto das enormes forças latentes, que podem ser convenientemente utilizadas quando aquelas são trazidas à superfície.

A lição era de subido valor; no entanto, fazia-se necessário agir no trabalho assistencial.

Conjugando nosso esforço, separamos, de alguma sorte, o algoz da vítima, conquanto, segundo apontamento de nosso orientador, continuassem unidos pela fusão magnética, mesmo a distância.

Companheiros de nossa esfera retiraram o Espírito obsidente, encaminhando-o a certa organização socorrista.

Ainda assim, a doente gritava, afirmando estar à frente de medonho estrangulador em vias de sufocá-la.

Aplicando-lhe passes de reconforto, Áulus esclareceu:

— Agora é apenas o fenômeno alucinatório, natural em processos de fascinação como este. Perseguidor e perseguida jazem na mais estreita ligação telepática, agindo e reagindo mentalmente um sobre o outro.

23.7 Gradativamente, a enferma acalmou-se.

Finda a crise, perguntei ao nosso orientador sobre o remédio definitivo à dolorosa situação, ao que respondeu com grave entono:

— A doente está sendo preparada, tendo-se em vista uma solução justa para o caso. Ela e o verdugo, em breve, serão mãe e filho. Não há alternativa na obtenção do trabalho redentor. Energias divinas do amor puro serão mais profundamente tocadas em sua sensibilidade de mulher, e nossa irmã praticará o santo heroísmo de acolhê-lo no próprio seio...

Em seguida, deixando-nos pensativos, caminhou no rumo de outro necessitado, e exclamava:

— Louvado seja Deus pela glória do lar!

24
Luta expiatória

24.1 Junto de nós, o cavalheiro que se mantinha entre os enfermos caiu em estremeções coreiformes.[15]

Não fosse a poltrona em que se apoiava e ter-se-ia arrojado ao chão.

Desferia gemidos angustiados e roucos, como se um guante invisível lhe constringisse a garganta.

Não longe, duas entidades de presença desagradável reparavam-lhe os movimentos, sem contudo interferir magneticamente, de maneira visível, na agitação nervosa de que ele se fazia portador.

O doente aparentava madureza física, mas Áulus, esclarecendo-nos com mais segurança, informou comovido:

— É um pobre irmão em luta expiatória e na realidade mal atravessou a casa dos 30 anos, na presente romagem terrestre. Desde a infância, sofre o contato indireto de companhias

---

[15] N.E.: Diz-se de movimentações que lembram as da coreia, síndrome aguda ou crônica caracterizada por movimentos involuntários típicos, breves, rápidos, irregulares, especialmente na base dos membros.

inferiores que aliciou no passado, pelo seu comportamento infeliz. E quando experimenta a vizinhança desses amigos transviados, ainda em nosso plano, com os quais conviveu largamente antes do regresso à carne, reflete-lhes a influência nociva, entregando-se a perturbações histéricas, que lhe sufocam a alegria de viver. Tem sido aflitivo problema para o templo doméstico em que renasceu. Desde a meninice, vive de médico a médico. Ultimamente, a malarioterapia, a insulina e o eletrochoque hão sido empregados em seu benefício, sem resultado prático. Os tratamentos dolorosos e difíceis, de certo modo, lhe castigaram profundamente a vida física. Parece um velho, quando poderia mostrar-se em pleno vigor juvenil.

24.2 Enquanto o enfermo tremia, pálido, nosso orientador e o irmão Clementino aplicavam-lhe recursos magnéticos de auxílio, asserenando-lhe o corpo conturbado.

Findo o acidente paroxístico,[16] notamo-lo suarento e desmemoriado, qual se fora surdo às preces que Raul Silva pronunciava, implorando o socorro divino em seu favor.

Decorridos alguns minutos, a calma no ambiente refazia-se completa.

Abeirava-se a reunião da fase de encerramento; contudo, o rapaz que nos tomara, por último, a atenção prosseguia apático, melancólico.

Registrávamos a esperança e o encorajamento, em variados tons, em todos os presentes, menos nele, que denotava tortura e introversão.

Áulus, com a tolerância habitual, dispusera-se a ouvir-nos.

— Como interpretar o caso de nosso amigo? — indagou Hilário, curioso. — Não lhe vimos o desdobramento e, ao que nos foi concedido verificar, não assimilou emissões fluídicas de

---

[16] N.E.: Próprio de espasmo agudo ou convulsão.

qualquer habitante de nossa esfera... Enquadrar-se-lhe-á o transe em algum processo mediúnico que desconhecemos?

24.3 — O enigma de nosso irmão — elucidou o assistente — é de natureza mental, considerando-se-lhe a origem pura e simples, mas está radicado à sensibilização psíquica, tanto quanto as ocorrências de ordem mediúnica.

— Ainda assim — aleguei —, poderemos considerá-lo médium?

— De imediato, não. Presentemente, é um enfermo que reclama cuidado assistencial; no entanto, sanada a desarmonia de que ainda é portador, poderá cultivar preciosas faculdades medianímicas, porque a moléstia, nesses casos, é fator importante de experiência. A dor em nossa vida íntima é assim como o arado na terra inculta. Rasgando e ferindo, oferece os melhores recursos à produção.

— E a doença em si? — tornou meu companheiro admirado. — Será do corpo ou da alma?

— É desequilíbrio da alma a retratar-se no corpo — falou o instrutor, comovido.

E, acariciando a fronte do moço triste, continuou:

— Nosso amigo em reajuste, antes da presente imersão na carne, vagueou, por muitos anos, em desolada região de trevas. Aí foi vítima de hipnotizadores cruéis com os quais esteve na mais estreita sintonia, em razão da delinquência viciosa a que se dedicara no mundo. Sofreu intensamente e voltou à Terra trazendo certas deficiências no organismo perispiritual. É um histérico, segundo a justa acepção da palavra. Acolhido pelo heroísmo de um coração materno e por um pai que lhe foi associado de insânia, hoje também na travessia de amargosas provas, vem procurando a própria recuperação. Aos sete anos da nova experiência terrena, quando se lhe firmou a reencarnação, sentiu-se tomado pela desarmonia trazida do mundo espiritual e, desde então, vem lutando no laborioso processo regenerativo a que se impôs. Algemado à perturbação em que se enleou, supõe haver nascido com o fracasso congenial. Não se acredita capaz de qualquer serviço nobre. Crê-se derrotado antes de qualquer luta. Apraz-lhe tão somente a solidão em que se nutre dos pensamentos enfermiços que lhe são arremessados ao espírito pelos antigos companheiros de viciação. Enfim, vive em deploráveis condições patológicas do sistema nervoso, numa crise de longo curso, a caracterizar-se por estranhas perturbações da inteligência e contraturas repentinas, que o inutilizam temporariamente para o trabalho digno.

As preces terminais convidaram-nos ao silêncio. **24.4**

Finda a reunião, ofereceu-se Áulus para acompanhar o rapaz doente até a casa, medida essa que Clementino aprovou satisfeito.

O moço parecia anestesiado, inerte...

Depois de meia hora, durante a qual buscamos assisti-lo nas eventualidades da via pública, atingimos singela casinha suburbana.

Ao chamado insistente do rapaz, simpática velhinha veio atender.

— Américo, meu filho, graças a Deus vejo-o de volta...

A ternura materna vibrava iludível naquela voz clara e reconfortante.

E a genitora conduziu-o, sem delonga, para a intimidade doméstica, onde um rapaz embriagado desferia palavrões.

Fitando-o, disse preocupada:

— Márcio, infelizmente, excedeu-se de novo...

E, porque reparasse a apatia do recém-chegado, ajuntou:

— Mas, primeiro, tratemos de acomodar você.

O moço não relutou.

Deixou-se arrastar pelo carinho materno e envolveu-se nas cobertas do leito, em acanhado telheiro aos fundos.

Américo dormiu sem detença, surgindo junto de nós em desdobramento natural. Não nos pressentiu, porém, nem de longe. Registrava tão somente a perturbação mental de que se via possuído.

24.5 Amedrontado, espantadiço, avançou para estreita câmara, a pequena distância, e rojou-se ao lado de um velho paralítico, choramingando:

— Pai, estou sozinho! Sozinho!... Quem me socorre? Tenho medo! Medo!...

O doente, vigilante e calmo, assinalou-lhe a presença, de algum modo, porque mostrou no semblante dolorida expressão, como se lhe estivesse ouvindo as queixas.

Áulus recomendou-me auscultar a fronte pensadora do enfermo, atado ao catre limpo, e, buscando sintonizar-me com ele, *escutei-lhe a mente, conversando de si para consigo*:

"Ó Senhor, sinto-me cercado por Espíritos inquietos... Quem estará junto de mim? Dá-me forças para compreender-te a vontade e acatar-te os desígnios... Não me abandones! Tristes são a velhice, a doença e a pobreza quando nos avizinhamos da morte!..."

E, sob a influência do rapaz, cujos pensamentos assimilava sem perceber, vimo-lo também dobrar a cabeça e chorar copiosamente.

Fixando-os de maneira significativa, nosso orientador esclareceu:

— Achamo-nos à frente de pai e filho. Júlio, o genitor de Américo, foi acometido, faz muitos anos, de paralisia das pernas, vivendo assim amarrado à cama, onde ainda se esforça pela subsistência dos seus, em trabalhos leves. Entregue à provação e à soledade, começou a ler e a refletir com segurança. Apreendeu a verdade da reencarnação, encontrou consolo e esperança nos ensinamentos do Espiritismo e, com isso, tem sabido marchar com resignação e fortaleza nos dias ásperos que vem atravessando...

Sentindo-nos a sede de maiores informes, o instrutor prosseguiu, depois de ligeira pausa:

— Sustentado pelo devotamento heroico da esposa, trouxe ao mundo cinco filhos, dos quais uma jovem que lhe foi abençoada irmã noutra vida terrestre, e os demais, inclusive Américo, são quatro rapazes de trato muito difícil. Márcio, que já conhecemos, é cliente da embriaguez, Guilherme e Benício estão consumindo a mocidade em extravagâncias noturnas, Laura que é abnegada companheira dos pais, e o nosso Américo, o primogênito, que ainda está longe de recuperar o equilíbrio completo...

24.6

— E observando o dono da casa em semelhante posição — interferiu Hilário —, somos levados a pensar nas dificuldades que se desenrolam aqui...

— Indubitavelmente, a expiação do grupo doméstico sob nossa vista é rude e dolorosa... Em passado próximo, o paralítico de hoje era o dirigente de pequeno bando de malfeitores. Extremamente ambicioso, asilou-se num sítio, onde se transformou em perseguidor de viajantes desprevenidos, dedicando-se ao furto e à vadiagem... Conseguiu convencer quatro amigos a acompanhá-lo nas aventuras delituosas a que se entregou pela cobiça tiranizante, comprometendo-lhes a vida moral, e esses quatro companheiros são hoje os filhos que lhe recebem nova orientação, crivando-o de preocupações e desgostos. Desviou-os do caminho reto, agora busca recuperá-los para a estrada justa, achando-se, ele mesmo, em penosas inibições...

A torturada conformação do velhinho sensibilizava-nos as fibras mais íntimas.

Tivemos, contudo, nossa atenção atraída para novo fenômeno.

Uma jovem, de fisionomia nobre e calma, penetrou o quarto em Espírito, passou rente a nós sem notar-nos e, reanimando Américo, retirou-o para fora.

Percebendo-nos a silenciosa indagação, o assistente informou:

— É Laura, a filha generosa, que, ainda mesmo durante o sono físico, não se descuida de amparar o genitor doente.

24.7 — Então está domiciliada aqui mesmo? — perguntou meu colega, admirado.

— Sim, dormindo em aposento próximo.

E, depois de ministrar recursos vitalizantes ao enfermo em lágrimas, o assistente acrescentou:

— Quando o corpo terrestre descansa, nem sempre as almas repousam. Na maioria das ocasiões, seguem o impulso que lhes é próprio. Quem se dedica ao bem, de um modo geral, continua trabalhando na sementeira e na seara do amor, e quem se emaranha no mal costuma prolongar no sono físico os pesadelos em que se enreda...

— Pelo que analisamos — disse Hilário —, os fatos mediúnicos no lar são constantes...

— Justo! — confirmou o orientador. — Os pensamentos daqueles que partilham o mesmo teto agem e reagem uns sobre os outros, de modo particular, em incessantes correntes de assimilação. A influência dos encarnados entre si é habitualmente muito maior que se imagina. Muita vez, na existência carnal, os obsessores que nos espezinham estão conosco, respirando, reencarnados, o mesmo ambiente. Do mesmo modo, há protetores que nos ajudam e elevam e que igualmente participam de nossas experiências de cada dia. É imprescindível compreender que, em toda a parte, acima de tudo, vivemos em espírito. O intercâmbio de alma para alma, entre pais e filhos, cônjuges e irmãos, afeiçoados e companheiros, simpatias e desafeições, no templo familiar ou nas instituições de serviço em que nos agrupamos, é, em razão disso, a bem dizer, obrigatório e constante. Sem perceber, consumimos ideias e forças uns dos outros.

Dispúnhamo-nos à retirada, quando Hilário, como quem se valia do ensejo, curiosamente indagou:

— Voltando, contudo, ao caso de Américo e reconhecendo-o como portador da histeria, haverá vantagem na frequência dele ao grupo em que outros médiuns se aperfeiçoam?

— Como não? — obtemperou o assistente. — O progresso **24.8**
é obra de cooperação. Consagrando-se à disciplina e ao estudo, à meditação e à prece, ele se renovará mentalmente, apressando a própria cura, depois da qual poderá cooperar em trabalhos mediúnicos dos mais proveitosos. Todo esforço digno, por mínimo que seja, recebe invariavelmente da vida a melhor resposta.

Áulus, a seguir, lembrou afazeres a distância e considerou por finda a valiosa lição.

25
Em torno da fixação mental

25.1   No caminho de volta procuramos, Hilário e eu, movimentar a conversação, no sentido de recolher da palavra de nosso orientador alguma lição a respeito da fixação mental.

Muita vez, anotara o fenômeno, buscando estudá-lo; entretanto, para colaborar com o amigo, mais novo que eu nos serviços da Espiritualidade, aderi ao assunto, animando-o com o melhor interesse.

Meu colega, sem disfarçar o espanto que lhe assomara à alma, desde a manifestação do estrangulador da Toscana, falou preocupado:

— Sinceramente, por mais que me esforce, grande é a minha dificuldade para penetrar os enigmas da cristalização do Espírito em torno de certas situações e sentimentos. Como pode a mente deter-se em determinadas impressões, demorando-se nelas, como se o tempo para ela não caminhasse? Tomemos, por exemplo, o drama de nosso infortunado companheiro, há séculos imobilizado nas ideias de vingança... Estará nessa posição lamentável, por tantos anos, sem ter reencarnado?

Áulus ouviu com atenção e ponderou: 25.2

— É imprescindível compreender que, depois da morte no corpo físico, prosseguimos desenvolvendo os pensamentos que cultivávamos na experiência carnal. E não podemos esquecer que a Lei traça princípios universais que não podemos trair. Subordinados à evolução, como avançar sem lhe acatarmos a ordem de harmonia e progresso? A ideia fixa pode operar a indefinida estagnação da vida mental no tempo.

Simbolizemos o estágio da alma, na Terra, por meio da reencarnação, como valiosa linha de frente na batalha pelo aperfeiçoamento individual e coletivo, batalha em que o coração deve armar-se de ideias santificantes para conquistar a sublimação de si mesmo, a mais alta vitória. A mente é o soldado em luta. Ganhando denodadamente o combate em que se empenhou, tão logo seja conduzida às aferições da morte, sobe verticalmente para a vanguarda, na direção da esfera superior, expressando-se-lhe o triunfo por elevação de nível. Entretanto, se fracassa, e semelhante perda é quase sempre a resultante da incúria ou da rebeldia, volta horizontalmente, nos acertos da morte, para a retaguarda, em que se confunde com os desajustados de toda espécie, para indeterminado período de tratamento. Em qualquer frente de luta terrestre, a retaguarda é a faixa atormentada dos neuróticos, dos loucos, dos mutilados, dos feridos e dos enfermos de toda casta.

Ante o interesse com que lhe ouvíamos a exposição, Áulus prosseguiu, depois de ligeira pausa:

— Decerto, as legiões vitoriosas não se esquecem dos que permaneceram no desequilíbrio e daí vemos as missões de amor e renúncia, funcionando diligentes onde estacionam a desarmonia e a dor.

25.3 — E o problema da imobilização da alma? — tornou meu colega, ávido de saber.

O interpelado sorriu e considerou:

— Em nossa imagem, podemos defini-la com a propriedade possível. É que o tempo, para nós, é sempre aquilo que dele fizermos. Para melhor compreensão do assunto, lembremo-nos de que as horas são invariáveis no relógio, mas não são sempre as mesmas em nossa mente. Quando felizes, não tomamos conhecimento dos minutos. Satisfazendo aos nossos ideais ou interesses mais íntimos, os dias voam céleres, ao passo que, em companhia do sofrimento e da apreensão, temos a ideia de que o tempo está inexoravelmente parado. E, quando não nos esforçamos por superar a câmara lenta da angústia, a ideia aflitiva ou obcecante nos corrói a vida mental, levando-nos à fixação. Chegados a essa fase, o tempo como que se cristaliza dentro de nós, porque passamos a gravitar, em Espírito, em torno do ponto nevrálgico de nosso desajuste. Qualquer grande perturbação interior, chame-se paixão ou desânimo, crueldade ou vingança, ciúme ou desespero, pode imobilizar-nos por tempo indefinível em suas malhas de sombra, quando nos rebelamos contra o imperativo de marcha incessante com o sumo Bem. Analisemos ainda o nosso símbolo do combate. O relógio inflexível assinala o mesmo horário para todos; entretanto, o tempo é leve para os que triunfaram e pesado para os que perderam. Com os vencedores, os dias são felicidade e louvor, e, com os vencidos, são amargura e lágrimas. Quando nos não desvencilhamos dos pensamentos de flagelação e derrota, pelo trabalho constante pela nossa renovação e progresso, transformamo-nos em fantasmas de aflição e desalento, mutilados em nossas melhores esperanças ou encafurnados em nossas chagas íntimas. E, quando a morte nos surpreende nessas condições, acentuando-se-nos então a experiência subjetiva, se a alma não se dispõe ao esforço heroico da suprema renúncia, com facilidade emaranha-se nos problemas da fixação, atravessando anos e anos, e por vezes séculos na repetição de reminiscências desagradáveis, das quais se nutre e vive. Não se interessando por outro assunto a não ser o da própria dor, da própria ociosidade ou do próprio ódio, a criatura desencarnada, ensimesmando-se, é semelhante ao animal no sono letárgico da hibernação. Isola-se do mundo externo, vibrando tão somente ao redor do desequilíbrio oculto em que se compraz. Nada mais ouve, nada mais vê e nada mais sente além da esfera desvairada de si mesma.

Revestia-se o assunto de imenso interesse para minhas observações pessoais. **25.4**

Em muitas ocasiões, sondara de perto as consciências que dormitam, após a morte, quais múmias espirituais. E lembrei-as ao assistente, que nos disse atencioso:

— Sim, a mente estacionária na deserção da Lei, durante o repouso habitual em que se imobiliza, além do túmulo, sofre angustiosos pesadelos, despertando quase sempre em plena alienação, que pode persistir por muito tempo, cultivando apaixonadamente as impressões em que julga encontrar a própria felicidade.

— E qual o remédio mais adequado à situação? — inquiri respeitoso.

— Muitas dessas almas desorientadas — comentou o instrutor — por fim se entediam do mal e procuram a regeneração por si mesmas, ao passo que outras, em nossas tarefas de assistência, acordam para as novas responsabilidades que lhes competem no próprio reajuste. São os soldados feridos buscando corresponder às missões de amor que lhes visitam o pouso de restauração. Entendem o impositivo da luta dignificante a que foram chamados e, ajudando aos que os ajudam, regressam ao bom combate, em cujas linhas se acomodam com o serviço que lhes é possível desempenhar. Outras, porém, recalcitrantes e inconformadas, são docemente constrangidas ao retorno à batalha para que se desvencilhem da prostração a que se recolheram. A experiência no corpo de carne, em posição difícil, é semelhante a um choque de longa duração, em que a alma é convidada a restabelecer-se. Para isso, tomamos o concurso de afeições do interessado que o asilam no templo familiar.

25.5 — Mas, nesses casos, a reencarnação será compulsória, assim como um ato de violência? — perguntou Hilário com atenção.

— Que fazemos na Terra — disse o assistente — quando surge um louco em nossa casa? Não passamos a assumir a responsabilidade do tratamento? Aguardaremos qualquer resolução do alienado mental, no que tange às medidas indispensáveis à restauração do seu equilíbrio? É certo que nos cabe o dever de honrar a consciência livre, capaz de decidir por si mesma nos variados problemas da luta evolutiva; entretanto, à frente do irmão irresponsável e enfermo, a nossa colaboração significa amizade fiel, ainda que essa colaboração expresse doloroso processo de reequilíbrio em seu favor.

Após ligeira pausa, continuou:

— A reencarnação, em tais circunstâncias, é o mesmo que conduzir o doente inerte a certa máquina de fricção para o necessário despertamento. Intimamente justaposta ao campo celular, a alma é a feliz prisioneira do equipamento físico, no qual influencia o mundo atômico e é por ele influenciada, sofrendo os atritos que lhe objetivam a recuperação.

Os significativos apontamentos convidavam-nos a meditar e aprender.

Impressionado, considerei:

— Em virtude de semelhantes fixações, é que vemos entidades padecendo deplorável amnésia. Quando se comunicam com os irmãos encarnados, não conservam exata lembrança senão dos assuntos em que se lhes encravam as preocupações e, quando permutam impressões conosco, assemelham-se a psicósicos renitentes...

— Isso mesmo. Por esse motivo, requerem habitualmente grande carinho em nosso trato pessoal.

25.6

— E quando encaminhadas à reencarnação, no desajuste em que se veem, essas criaturas tornam à realidade, de súbito? — perguntei com interesse.

— Nem sempre.

E, imprimindo novo entono à voz, o assistente continuou:

— Na maioria das vezes, o soerguimento é vagaroso. Podemos comprovar isso no estudo das crianças retardadas, que exprimem dolorosos enigmas para o mundo... Somente o extremado amor dos pais e dos familiares consegue infundir calor e vitalidade a esses entezinhos que, não raro, se demoram por muitos anos na matéria densa, como apêndices torturados da sociedade terrestre, curtindo sofrimentos que parecem injustificáveis e estranhos e que constituem para eles a medicação viável. É possível auscultar ainda a verdade de nossa assertiva, nos chamados esquizofrênicos e nos paranoicos que perderam o senso das proporções, situando-se em falso conceito de si mesmos. Quase todas as perturbações congeniais da mente, na criatura reencarnada, dizem respeito a fixações que lhe antecederam a volta ao mundo. E, em muitos casos, os Espíritos enleados nesses óbices seguem do berço ao túmulo em recuperação gradativa, experimentando choques benéficos, por meio das terapêuticas humanas e das exigências domésticas, das imposições dos costumes e dos conflitos sociais, deles retirando as vantagens do que podemos considerar por "extroversão" indispensável à cura das psicoses de que são portadores.

A conversação era instrutiva e sugeria-nos importantes estudos; entretanto, serviços outros aguardavam o assistente, motivo por que a interrompemos.

26
Psicometria

26.1   O rápido curso de aprendizagem que vínhamos realizando atingia a sua fase final.

Áulus não dispunha de tempo para favorecer-nos com experiências mais amplas. Era um trabalhador comprometido em serviços diversos.

Embora isso compreendêssemos, Hilário e eu nos sentíamos algo melancólicos.

O assistente, contudo, desenvolvia todas as possibilidades ao seu alcance para conservar-nos o entusiasmo habitual.

Atravessávamos ruas e praças, quando nos defrontamos com um museu, a que se acolhiam alguns visitantes retardatários.

E o nosso orientador, como quem se dispunha a aproveitar as horas que nos restavam para dilatar observações e apontamentos, convidou-nos a entrar, exclamando:

— Numa instituição como esta, é possível realizar interessantíssimos estudos. Decerto, já ouviram referências à psicometria. Em boa expressão sinonímica, como o é usada na

Psicologia experimental, significa "registro, apreciação da atividade intelectual"; entretanto, nos trabalhos mediúnicos, esta palavra designa a faculdade de ler impressões e recordações ao contato de objetos comuns.

Passamos por longo portal e, no interior do edifício, reparamos que muitas entidades desencarnadas iam e vinham, de mistura com as pessoas que observavam utilidades de outro tempo com crescente admiração. **26.2**

— Muitos companheiros de mente fixa no pretérito frequentam casas como esta pelo simples prazer de rememorar... — comentou o assistente.

Verifiquei que algumas preciosidades, excetuando-se uma que outra, estavam revestidas de fluidos opacos, que formavam uma massa acinzentada ou pardacenta, na qual transpareciam pontos luminosos.

Notando-me a curiosidade, o instrutor aclarou benevolente:

— Todos os objetos que você vê emoldurados por substâncias fluídicas acham-se fortemente lembrados ou visitados por aqueles que os possuíram.

Não longe, havia curioso relógio, aureolado de luminosa faixa branquicenta.

Áulus recomendou-me tocá-lo e, quase instantaneamente, me assomou aos olhos mentais linda reunião familiar, em que venerando casal se entretinha a palestrar com quatro jovens em pleno viço primaveril.

Com aquele quadro vivo a destacar-se ante a minha visão interior, examinei o recinto agradável e digno. O mobiliário austríaco imprimia sobriedade e nobreza ao conjunto, que jarrões de flores e telas valiosas enfeitavam.

O relógio lá se encontrava, dominando o ambiente, do cimo de velha parede caprichosamente adornada.

Registrando-me a surpresa, o assistente adiantou:

26.3 — Percebo a imagem sem o toque direto. O relógio pertenceu a respeitável família do século passado. Conserva as formas-pensamentos do casal que o adquiriu e que, de quando em quando, visita o museu para a alegria de recordar. É um objeto animado pelas reminiscências de seus antigos possuidores, reminiscências que se reavivam no tempo, por meio dos laços espirituais que ainda sustentam em torno do círculo afetivo que deixaram.

Hilário tateou a preciosidade e falou:

— Isso quer dizer que vemos imagens aqui impressas por eles, por intermédio de vibrações...

— Justamente — confirmou o orientador. — O relógio está envolvido pelas correntes mentais dos irmãos que ainda se apegam a ele, assim como o fio de cobre na condução da energia está sensibilizado pela corrente elétrica. Auscultando-o, na fase em que se encontra, relacionamo-nos, de imediato, com as recordações dos amigos que o estimam.

Hilário refletiu alguns momentos e observou:

— Então, se estivéssemos interessados em conhecer esses companheiros e encontrá-los, um objeto nessas condições seria um mediador para a realização de nossos desejos...

— Sim, perfeitamente — aprovou o instrutor —; usaríamos, para isso, alguma coisa em que a memória deles se concentra. Tudo o que se nos irradia do pensamento serve para facilitar essa ligação.

— Muito importante o estudo da força mental — considerei, sob forte impressão.

Áulus sorriu e comentou:

— O pensamento espalha nossas próprias emanações em toda parte a que se projeta. Deixamos vestígios espirituais onde arremessamos os raios de nossa mente, assim como o animal deixa no próprio rastro o odor que lhe é característico, tornando-se, por esse motivo, facilmente abordável pela sensibilidade olfativa do cão. Quando libertados do corpo denso, aguçam-se-nos os sentidos e, em razão disso, podemos atender, sem dificuldade, a esses fenômenos, dentro da esfera em que se nos limitam as possibilidades evolutivas.

26.4 — Somos, desse modo, induzidos a crer — considerou meu companheiro — que não dispomos de recursos para alcançar o pensamento daqueles que se fizeram superiores a nós...

— Sim, aqueles que atingiram uma elevação que não somos capazes de imaginar remontaram a outros planos, transcendendo-nos o modo de expressão e de ser. O pensamento deles vibra em outra frequência. Naturalmente, podem acompanhar-nos e auxiliar-nos, porque é da Lei que o superior venha ao inferior quando queira; contudo, por nossa vez, não nos é facultado segui-los.

O assistente refletiu um instante e prosseguiu:

— Simbolizemos, para discernir. O que ocorre, entre eles e nós, acontece entre nós e os seres que se nos localizam à retaguarda. Podemos, por exemplo, cuidar dos interesses das tribos primitivas ou retardadas, sem que elas consigam fazer o mesmo em nosso favor. Penetramos os costumes e conhecimentos da taba, sem que a taba entenda patavina de nosso edifício cultural. O pensamento nos condiciona ao círculo em que devemos ou merecemos viver e, só ao preço de esforço próprio ou de segura evolução, logramos aperfeiçoá-lo, superando limitações para fazê-lo librar em esferas superiores.

O assistente fitou-nos com bondade e acrescentou:

— No entanto, evitemos digressões em desacordo com os nossos objetivos essenciais.

— Imaginemos — disse por minha vez — que nos propuséssemos fixar a atenção num exame mais circunstanciado. Poderíamos, assim, conhecer a história da matéria que serve à formação do relógio que analisamos?

— Sem dúvida. Isso demandaria mais trabalho, mais tempo; contudo, é iniciativa perfeitamente viável.

26.5   — Cada objeto, então — concluiu Hilário —, pode ser um mediador para entrarmos em relação com as pessoas que se interessam por ele e um registro de fatos da natureza...

— Sem mais nem menos — confirmou Áulus, seguro de si —; não podemos esquecer que o paleontologista pode reconstituir determinadas peças da fauna pré-histórica por um simples osso encontrado a esmo. Quando se nos apura a sensibilidade de maneira mais intensiva, em simples objetos relegados ao abandono podemos surpreender expressivos traços das pessoas que os retiveram ou dos sucessos de que foram testemunhas, por meio das vibrações que eles guardam consigo.

E, num sorriso, ajuntou:

— As almas e as coisas, cada qual na posição em que se situam, algo conservam do tempo e do espaço, que são eternos na memória da vida.

Logo após, detivemo-nos a estudar primorosa tela do século XVIII, que não apresentava qualquer sinal de moldura fluídica.

Efetivamente, era uma preciosidade isolada.

Por ela, não nos foi possível estabelecer qualquer contato espiritual de natureza exterior.

Áulus assumiu a atitude do professor benevolente que lhe era peculiar e explicou:

— Pesquisado mais intimamente, este quadro será interessante registro, oferecendo-nos informações acerca dos ingredientes que o constituem; entretanto, não funciona como "mediador de relações espirituais", por achar-se plenamente esquecido pelo autor e por aqueles que provavelmente o possuíram...

Avançamos mais além.

Ao lado de extensa galeria, dois cavalheiros e três damas admiravam singular espelho, junto do qual se mantinha uma jovem desencarnada com expressão de grande tristeza.

Uma das senhoras teve palavras elogiosas para a beleza da **26.6**
moldura, e a moça, na feição de sentinela irritada, aproximou-se,
tateando-lhe os ombros.

A matrona tremeu involuntariamente, sob inesperado
calafrio, e falou para os companheiros:

— Aqui há um estranho sopro de câmara funerária. É
melhor que saiamos...

Confiou-se o grupo a manifestações de bom humor e
retirou-se, acompanhando-a noutro rumo.

A entidade, que não nos assinalava a intromissão, pareceu-nos contente com a solidão e passou a contemplar o espelho, sob estranha fascinação.

Áulus acariciou-a de leve, tocou o objeto com atenção e
comentou:

—Notaram o fenômeno? Do pequeno conjunto de visitantes, a irmã que registrou a aproximação da jovem sob nosso exame é portadora de notável sensibilidade mediúnica. Se educasse as suas forças e sondasse o espelho, entraria em relação imediata com a moça que ainda se apega a ele desvairadamente. Receber-lhe-ia as confidências, conhecer-lhe-ia o drama íntimo, porque imediatamente lhe assimilaria a onda mental, senhoreando-lhe as imagens...

Hilário, incapaz de sofrear a curiosidade que nos esfogueava o cérebro, indagou sobre a moça. Que fazia ali, naquele túmulo de recordações? Por que se interessava, com tanta ânsia, por um simples espelho sem maior significação?

O assistente, como quem já esperava por nosso inquérito, respondeu sem pestanejar:

— Toquei o objeto para informar-me. Este espelho originalíssimo foi confiado à jovem por um rapaz que lhe prometeu casamento. Vejo-lhe a figura romântica nas reminiscências dela. Era filho de franceses asilados no Brasil, ao tempo da França

Revolucionária de 1791. Menino ainda, aportou no Rio e aí cresceu e se fez homem. Encontrou-a e conquistou-lhe o coração. Quando arquitetavam projetos de casamento, depois da mais íntima ligação afetiva, a família estrangeira, animada com os sucessos de Napoleão na Europa, deliberou o retorno à pátria. O moço pareceu desolado, mas não desacatou a ordem paterna. Despediu-se da noiva e lhe implorou guardasse a peça como lembrança, até que pudesse voltar e serem então felizes para sempre... Contudo, distraído na França pelos encantos de outra mulher, não mais regressou... Depressa esqueceu responsabilidades e compromissos, tornando-se diferente. A pobrezinha, no entanto, fixou-se na promessa ouvida e continua a esperá-lo. O espelho é o penhor de sua felicidade. Imagino a longa viagem que terá feito no tempo, vigiando-o como propriedade sua, até que a lembrança viesse por fim repousar no museu.

26.7 — O assunto — aventei, preocupado — compele-nos a refletir sobre as antigas histórias de joias enfeitiçadas...

— Sim, sim — ponderou o assistente —, a influência não procede das joias, mas sim das forças que as acompanham.

Hilário, que meditava a lição maduramente, considerou:

— Se alguém pudesse adquirir a peça e conduzi-la consigo...

— Decerto — atalhou o instrutor — arcaria também com a presença da moça desencarnada.

— E isso seria justo?

Áulus esboçou leve sorriso e obtemperou:

— Hilário, a vida nunca se engana. É provável que alguém apareça por aqui e se extasie à frente do objeto, disputando-lhe a posse.

— Quem?

— O moço que empenhou a palavra, provocando a fixação mental dessa pobre criatura ou a mulher que o afastou dos compromissos assumidos. Reencarnados, hoje ou amanhã, possivelmente um dia virão até aqui, tomando-a por filha ou companheira, no resgate do débito contraído.

— Mas não podemos aceitar a hipótese de a jovem desencarnada ser atraída por algum círculo de cura, desembaraçando-se da perturbação de que é vítima? **26.8**

— Sim — concordou o orientador —, isso é também possível; entretanto, examinada a harmonia da Lei, o reencontro do trio é inevitável. Todos os problemas criados por nós não serão resolvidos senão por nós mesmos.

A conversação era preciosa; contudo, a responsabilidade impelia-nos para diante.

De saída, renteamos com o gabinete em que funcionava a direção da casa.

Vendo duas cadeiras vagas junto a pequena mesa de trabalho, meu colega consultou, com o evidente intuito de completar a lição:

— Creio que os móveis sob nossa vista são utilizados por auxiliares da administração do museu... Se nos sentarmos neles, poderemos entrar em relação com as pessoas que habitualmente os ocupam?

— Sim, se desejarmos esse tipo de experiência — informou o orientador.

— E nos referindo aos encarnados? — prosseguiu Hilário.

— Qualquer pessoa, servindo-se de objetos pertencentes a outros, tais como vestuários, leitos ou adornos, pode sentir os reflexos daqueles que os usaram?

— Perfeitamente. Contudo, para que os registrem devem ser portadores de aguçada sensibilidade psíquica. As marcas de nossa individualidade vibram onde vivemos e, por elas, provocamos o bem ou o mal naqueles que entram em contato conosco.

— E tudo o que observamos é mediunidade?!...

26.9 — Sim, apesar de os fatos dessa ordem serem arrolados por experimentadores do mundo científico, sob denominações diversas, entre elas a "criptestesia pragmática", a "metagnomia tátil", a "telestesia".

E, tomando-nos a dianteira para o retorno à via pública, rematou:

— Em tudo, vemos integração, afinidade, sintonia... E de uma coisa não tenhamos dúvida: pelo pensamento, comungamos uns com os outros, em plena vida universal.

27
Mediunidade transviada

27.1 Descera a noite totalmente, quando penetramos estreita sala em que um círculo de pessoas se mantinha em oração.

Várias entidades se imiscuíam ali, em meio dos companheiros encarnados, mas em lamentáveis condições, uma vez que pareciam inferiores aos homens e mulheres que se faziam componentes da reunião.

Apenas o irmão Cássio, um guardião simpático e amigo, de quem o assistente nos aproximou, demonstrava superioridade moral.

Notava-se-lhe, de imediato, a solidão espiritual, porquanto desencarnados e encarnados da assembleia não lhe percebiam a presença e, decerto, não lhe acolhiam os pensamentos.

Ante as interpelações do nosso orientador, informou algo desencantado:

— Por enquanto, nenhum progresso, não obstante os reiterados apelos à renovação. Temos sitiado o nosso Quintino com os melhores recursos ao nosso alcance, mobilizando livros, impressos e conversações de procedência respeitável; no entanto, tudo em vão... O teimoso amigo ainda não se precatou quanto às duras responsabilidades que assume, sustentando um agrupamento desta natureza...

Áulus buscou reconfortá-lo com um gesto silencioso de compreensão e convidou-nos a observar. **27.2**

Revestia-se o recinto de fluidos desagradáveis e densos.

Dois médiuns davam passividade a companheiros do nosso plano, os quais, segundo minhas primeiras impressões, jaziam convertidos em criados autênticos do grupo, assalariados talvez para serviços menos edificantes. Entidades diversas, nas mesmas condições, enxameavam em torno deles, subservientes ou metediças.

O fenômeno da psicofonia era ali geral.

Os sensitivos desdobrados se mantinham no ambiente, alimentando-se das emanações que lhes eram peculiares.

Raimundo, um dos comunicantes, sob as vistas complacentes do diretor da casa, conversava com uma senhora, cuja palavra leviana inspirava piedade.

— Raimundo — dizia —; tenho necessidade do dinheiro que há meses vem sendo acumulado no Instituto, do qual sou credora prejudicada. Que me diz você de semelhante demora?

— Espere, minha irmã — recomendava a entidade —, trabalharemos em seu benefício.

E a palestra continuava.

— A solução é urgente. Você deve ajudar-me com ação mais expedita. Tente uma volta pelo gabinete do diretor ranzinza e desencrave o processo... Você quer o endereço das pessoas que precisamos influenciar?

— Não, não. Conheço-as e sei onde moram...

— Vejo, Raimundo, que você anda distraído. Não se interessou por meu caso, com a presteza justa.

— Não é bem assim... Tenho feito o que posso.

Nos domínios da mediunidade | Capítulo 27

27.3 E enquanto a matrona baixava o tom de voz, cochichando, um cavalheiro maduro dirigia-se a Teotônio, o outro comunicante da noite, clamando indiscreto:

— Teotônio, até quando me cabe aguardar?

A entidade, que parecia embatucar-se com a pergunta, silenciou humilde, mas o interlocutor alongou-se exigente:

— Vai para quatro meses que espero pela decisão favorável referente ao emprego que me foi prometido. Entretanto, até hoje!... Você não conseguiria liquidar o problema?

— Que deseja que eu faça?

— Sei que o gerente da firma é do *contra*. Ajude-me, inclinando-o a simpatizar-se pela boa solução de meu caso.

Nisso, outra senhora ocupou a atenção de Raimundo, solicitando:

— Meu amigo, conto com o seu valioso concurso. Sou mãe. Não me conformo em ver minha filha aceitar a proposta de um homem desbriado, para casar-se. Nossa posição em casa é das mais alarmantes. Meu marido não suporta o homem que nos persegue, e a menina revoltada tem sido para nós um tormento. Você não poderá afastar esse abutre?

Raimundo respondeu, subserviente, enquanto Quintino tomou a palavra, logo em seguida, pedindo uma prece, em conjunto, a fim de que os desencarnados se fortalecessem para corresponder à confiança do grupo, prestando-lhe os serviços solicitados.

Entendimentos e conversas continuaram entre comunicantes e clientes da casa; todavia, não mais lhes dei atenção, considerando-lhes o obscuro aspecto.

Em aflitivas circunstâncias, vira obsidiados e entidades endurecidas no mal, por meio de tremendos conflitos; contudo, em nenhum lugar sentia tanta compaixão como ali, vendo pessoas sadias e lúcidas a interpretarem o intercâmbio com o mundo espiritual como um sistema de criminosa exploração, com alicerces no menor esforço.

Aqueles homens e mulheres que se congregavam no recinto, com intenções tão estranhas, teriam coragem de pedir a companheiros encarnados os serviços que reclamavam dos Espíritos? Não estariam ultrajando a oração e a mediunidade para fugir aos problemas que lhes diziam respeito? Não dispunham, acaso, de veneráveis conhecimentos para mobilizar o cérebro, a língua, os olhos, os ouvidos, as mãos e os pés, no aprendizado enobrecedor? Que faziam da fé? Seria justo que um trabalhador relegasse a outros a enxada que lhe cabia suportar e mover na gleba do mundo?

27.4

Áulus registrou-me as reflexões amargas, porque, generoso, deu-se pressa em reconfortar-me:

— Um estudo atual de mediunidade, mesmo rápido quanto o nosso, não seria completo se não perquiríssemos a região do psiquismo transviado, onde Espíritos preguiçosos, encarnados e desencarnados, respiram em regime de vampirização recíproca. Aliás, constituem produto natural da ignorância viciosa em todos os templos da humanidade. Abusam da oração tanto quanto menoscabam as possibilidades e oportunidades de trabalho digno, porquanto espreitam facilidades e vantagens efêmeras para se acomodarem com a indolência, em que se lhes cristalizam os caprichos infantis.

— Mas prosseguirão assim, indefinidamente? — perguntei.

— André, sua dúvida está fora de propósito. Você possui bastante experiência para saber que a dor é o grande ministro da Justiça divina. Vivemos a nossa grande batalha de evolução. Quem foge ao trabalho sacrificial da frente encontra a dor pela retaguarda. O Espírito pode confiar-se à inação, mobilizando delituosamente a vontade; contudo, lá vem um dia a tormenta, compelindo-o a agitar-se e a mover-se para entender os impositivos do progresso com mais segurança. Não adianta fugir da eternidade, porque o tempo, benfeitor do trabalho, é também o verdugo da inércia.

27.5 Hilário, que refletia silencioso junto de nós, inquiriu preocupado:

— Por que se entregam nossos irmãos encarnados a semelhantes práticas de menor esforço? Há tantas lições de aprimoramento espiritual, há tantos apelos à dignificação da mediunidade, nas linhas doutrinárias do Espiritismo!... Por que o desequilíbrio?

Áulus pensou alguns instantes e redarguiu:

— Hilário, é imprescindível recordar que não nos achamos diante da Doutrina do Espiritismo. Presenciamos fenômenos mediúnicos, manobrados por mentes ociosas, afeiçoadas à exploração inferior por onde passam, dignas, por isso mesmo, de nossa piedade. E não ignoramos que fenômenos mediúnicos são peculiares a todos os santuários e a todas as criaturas. Quanto à preferência de nossos amigos pela convivência com os desencarnados ainda imensamente presos ao campo sensorial da vida física, incapazes ainda de mais ampla visão das realidades do Espírito, isso é compreensível na Terra. É sempre mais fácil ao homem comum trabalhar com subalternos ou iguais, porque servir ao lado de superiores exige boa vontade, disciplina, correção de proceder e firme desejo de melhorar-se. Sabemos que a morte não é milagre. Cada qual desperta, depois do túmulo, na posição espiritual que procurou para si... Ora, o homem vulgar sente-se mais à solta junto das entidades que lhe lisonjeiam as paixões, estimulando-lhe os apetites, uma vez que todos somos constrangidos a educar-nos, na vizinhança de companheiros evoluídos, que já aprenderam a sublimar os próprios impulsos, consagrando-se à lavoura incessante do bem.

— Mas não será isso um abuso do homem encarnado? Não será crime parasitar os desencarnados de condição inferior? — indagou Hilário.

— Isso não padece dúvida — confirmou o instrutor.

27.6

— E esse delito ficará impune?

Áulus fixou leve expressão de bom humor e respondeu:

— Não se preocupem demasiado. Quando o erro procede da ignorância bem-intencionada, a Lei prevê recursos indispensáveis ao esclarecimento justo no espaço e no tempo, porquanto a genuína caridade, sob qualquer título, é sempre venerável. Entretanto, se o abuso é deliberado, não faltará corrigenda.

Vagueou o olhar sobre o diretor da assembleia e sobre os medianeiros que incorporavam os comunicantes e acrescentou:

— Teotônio e Raimundo, tanto quanto alguns outros desencarnados da posição deles, e que aqui se aglomeram, realmente são mais vampirizados que vampirizadores. Fascinados pelas requisições de Quintino e dos médiuns que lhe prestigiam a obra infeliz, seguem-lhes os passos, como aprendizes no encalço dos mentores aos quais se devotam. Na hipótese de não se reajustarem no bem, tão logo se desencarnem o dirigente deste grupo e os instrumentos medianímicos que lhe copiam as atitudes, serão eles surpreendidos pelas entidades que escravizaram, a lhes reclamarem orientação e socorro, e, mui provavelmente, mais tarde, no grande porvir, quando responsáveis e vítimas estiverem reunidos no instituto da consanguinidade terrestre, na condição de pais e filhos, acertando contas e recompondo atitudes, alcançarão pleno equilíbrio nos débitos em que se emaranharam.

Ante a nossa admiração silenciosa, o assistente concluiu:

— Cada serviço nobre recebe o salário que lhe diz respeito, e cada aventura menos digna tem o preço que lhe corresponde.

Logo após, Áulus concitou-nos a partir.

O ambiente não encorajava maior estudo e já havíamos assimilado a lição que ali poderíamos receber.

28
Efeitos físicos

28.1 Vinte horas haviam soado no relógio terrestre, quando entramos em acanhado apartamento, no qual se realizariam trabalhos de materialização.

Tanto Hilário quanto eu não desejávamos encerrar a semana de estudos sem observar algum serviço dessa natureza, em companhia do assistente.

De outra feita, acompanháramos experiência dessa ordem, assinalando-a em registro de nossas impressões;[17] contudo, os ensinamentos de Áulus eram sempre expressivos e valiosos pelos fundamentos morais de que se revestiam, e suspirei pelo instante de ouvi-lo discorrer sobre os fenômenos físicos que nos propúnhamos analisar.

O recinto destinado aos trabalhos constituía-se de duas peças, uma sala de estar ligada a estreita câmara de dormir.

O aposento íntimo, transformado em gabinete, albergava o médium, um homem ainda moço, e na sala espalhavam-se 14

---

[17] Nota do autor espiritual: *Missionários da Luz*.

pessoas, aparentemente bem-intencionadas, das quais se destacavam duas senhoras doentes, que representavam o motivo essencial da reunião, uma vez que pretendiam recolher a assistência amiga dos Espíritos materializados.

Indicando-as, falou o orientador, com grave entonação de voz: **28.2**

— Venho com vocês até aqui, considerando as finalidades do socorro aos enfermos, porque, embora sejam muitas as tentativas de materialização de forças do nosso plano, na Terra, com raras exceções quase todas se desenvolvem sobre lastimáveis alicerces que primam por infelizes atitudes dos nossos irmãos encarnados. Só os doentes, por enquanto, no mundo, justificam a nosso ver o esforço dessa espécie, junto das raras experiências, essencialmente respeitáveis e dignas, realizadas pelo mundo científico em benefício da humanidade.

Quiséramos alongar o entendimento; no entanto, renteando conosco, diversos obreiros iam e vinham, dando a perceber o início dos trabalhos daquela noite.

A higienização processava-se ativa.

O serviço reclamava cuidado.

Segundo apontamentos recolhidos por nós, em outras ocasiões, aqui surgiam aparelhos delicados para a emissão de raios curativos, acolá se efetuava a ionização do ambiente com efeitos bactericidas.

Alguns encarnados, como habitualmente acontece, não tomavam a sério as responsabilidades do assunto e traziam consigo emanações tóxicas, oriundas do abuso de nicotina, carne e aperitivos, além das formas-pensamentos menos adequadas à tarefa que o grupo devia realizar.

Atento ao estudo, Áulus recomendou-nos centralizar a atenção no gabinete do médium.

Obedecemos.

Ao redor, laboriosa atividade seguia adiante.

28.3 Dezenas de entidades bem comandadas e evidenciando as melhores noções de disciplina articulavam-se no esforço preparatório.

O instrumento medianímico já havia recebido eficiente amparo no campo orgânico. A digestão e a circulação, tanto quanto o socorro às vísceras, já eram problemas solucionados.

Dispensar-nos-emos de maior rigor descritivo, porquanto, em outras páginas,[18] a materialização, de acordo com as nossas possibilidades de expressão, mereceu-nos meticuloso exame, no que respeita às substâncias, associações, recursos e movimentos do plano espiritual.

Agora, interessava-nos a mediunidade em si.

Intentávamos analisar-lhe o comportamento, em suas relações com o ambiente e as pessoas.

E, para isso, a nosso parecer, nenhuma ocasião melhor que aquela, em que dispúnhamos da colaboração segura de um amigo competente e devotado qual o instrutor que nos acompanhava solícito.

Apagada a luz elétrica e pronunciada a oração de início, o agrupamento, como de praxe, passou a entoar hinos evangélicos para equilibrar as vibrações do recinto.

Colaboradores desencarnados extraíam forças de pessoas e coisas da sala, inclusive da natureza em derredor, que, casadas aos elementos de nossa esfera, faziam da câmara mediúnica precioso e complicado laboratório.

Correspondendo à atuação magnética dos mentores responsáveis, desdobrou-se o médium, afastando-se do veículo físico, de modo tão perfeito que o ato em si mais se me afigurava a própria desencarnação, porque o corpo jazia no leito, como se fora um casulo de carne, largado e inerte.

---

[18] Nota do autor espiritual: *Missionários da luz*.

O veículo físico, assim prostrado, sob o domínio dos técnicos do nosso plano, começou a expelir o ectoplasma, qual pasta flexível, à maneira de uma geleia viscosa e semilíquida, através de todos os poros e, com mais abundância, pelos orifícios naturais, particularmente da boca, das narinas e dos ouvidos, com elevada percentagem a exteriorizar-se igualmente do tórax e das extremidades dos dedos. A substância, caracterizada por um cheiro especialíssimo, que não conseguimos descrever, escorria em movimentos reptilianos, acumulando-se na parte inferior do organismo medianímico, onde apresentava o aspecto de grande massa protoplásmica, viva e tremulante.

Companheiros nossos prestavam carinhosa assistência ao médium separado da vestimenta física, como se ele fora um doente ou uma criança.

À margem da ação, Áulus esclareceu prestimoso:

— O ectoplasma está em si tão associado ao pensamento do médium, quanto as forças do filho em formação se encontram ligadas à mente maternal. Em razão disso, toda a cautela é indispensável na assistência ao medianeiro.

Hilário que ouvia reverente, indagou:

— Tal cuidado decorre da possibilidade de inconveniente intervenção do médium nos trabalhos?

— Exatamente.

E Áulus prosseguiu:

— Se pudéssemos contar com mais ampla educação do instrumento, decerto menos teríamos a temer, uma vez que a própria individualidade do servidor colaboraria junto de nós, evitando-nos preocupações e contratempos prováveis. A materialização de criaturas e objetos de nosso plano, para ser mais perfeita, exige mais segura desmaterialização do médium e dos companheiros encarnados que o assistem, porque, por mais que nos consagremos aos trabalhos dessa ordem, estamos subordinados à cooperação dos amigos terrestres, assim como a água, por mais pura, permanece submetida às qualidades felizes ou infelizes do canal por onde se escoa.

28.5 — Isso nos deixa entrever — acentuou meu colega — que o pensamento mediúnico pode influir nas formas materializadas, mesmo quando essas formas se encontrem sob rigoroso controle de amigos da nossa esfera...

— Sim — confirmou o assistente —, ainda quando o médium não consiga senhoreá-las de todo, pode perturbar-lhes a formação e a projeção, prejudicando-nos consequentemente o serviço. Daí, o impositivo da completa isenção de ânimo, por parte de quantos se devotam a semelhantes realizações.

Hilário, não obstante satisfeito, continuou ponderando:

— As faculdades de materialização, desse modo, não traduzem privilégio para os seus portadores...

— De modo algum.

E, depois de breve pausa:

— O próprio verbo referente ao assunto, em sentido literal, não encoraja qualquer interpretação em desacordo com a verdade. Materializar significa corporificar. Ora, considerando-se que mediunidade não traduz sublimação, e sim meio de serviço, e reconhecendo, ainda, que a morte não purifica, de imediato, aquele que se encontra impuro, como atribuir santidade a médiuns da Terra ou a comunicantes do Além pelo simples fato de modelarem formas passageiras entre dois planos?

— Então, essa força...

Meu companheiro não terminou.

Áulus percebeu-lhe o pensamento e atalhou, asseverando:

— Essa força materializante é como as outras manipuladas em nossas tarefas de intercâmbio. Independe do caráter e das qualidades morais daqueles que a possuem, constituindo emanações do mundo psicofísico, das quais o citoplasma é uma das fontes de origem. Em alguns raros indivíduos, encontramos semelhante energia com mais alta percentagem de exteriorização; contudo, sabemos que ela será de futuro mais abundante e mais facilmente abordável, quando a coletividade humana atingir mais elevado grau de maturação.

— Até lá, desse modo...

28.6

— Até lá, utilizar-nos-emos dessas possibilidades como quem aproveita um fruto ainda verde, em circunstâncias especiais da vida, suportando, porém, o assédio de mil surpresas desagradáveis ao recolhê-lo, uma vez que, em experiências como esta, submetemo-nos a certas interferências mediúnicas indesejáveis, tanto quanto a influências menos edificantes de companheiros encarnados, francamente inaptos para os serviços dessa espécie.

Hilário que escutava atencioso a lição, ponderou ainda:

— Imaginemos que o médium esteja possuído de interesses inferiores, seja em matéria de afetividade malconduzida, de ambição desregrada ou de pontos de vista pessoais, nos diversos departamentos das paixões comuns...

E, depois da alegação reticenciosa, indagou:

— Nessa posição poderá influir nos fenômenos em estudo?

— Sem dúvida alguma — elucidou Áulus, com naturalidade —, consciente ou inconscientemente.

— E os amigos do grupo? Se imbuídos de propósitos malsãos conseguem perturbar-nos?

— Certamente!

— E por que nos sujeitarmos a fatores incapazes, assim?

Os olhos do assistente brilharam expressivos.

E, afagando o meu colega, Áulus falou com sensatez:

— Não diga "fatores incapazes". Digamos "fatores insipientes". Simbolizemos a necessidade como sede escaldante e a mediunidade imperfeita ou mal comandada como a água menos limpa. À falta do líquido puro, não podemos hesitar.

Utilizamo-nos da água nas condições em que a encontramos. E, em seguida, que fazer? Teremos paciência com a fonte, decantando-lhe, pouco a pouco, a corrente poluída. A mediunidade sublimada, por meio de instrumentos dignos e conscientes no mandato que lhes corresponde, é algo de eterno e divino que a humanidade está edificando. Isso não é obra de afogadilho. A improvisação não é alicerce para os santuários da sabedoria e do amor que desafiam o tempo.

28.7 Meu colega e eu sorrimos, encantados com aquele monumento de compreensão e tolerância.

Em derredor, grande massa de substância ectoplásmica leitosa-prateada, da qual se destacavam alguns fios escuros e cinzentos, amontoava-se abundante.

Técnicos de nosso plano manipulavam-na com atenção.

Áulus fixou a paisagem de trabalho ativo e explicou-nos:

— Aí temos o material leve e plástico de que necessitamos para a materialização. Podemos dividi-lo em três elementos essenciais, em nossas rápidas noções de serviço, a saber — fluidos A, representando as forças superiores e sutis de nossa esfera, fluidos B, definindo os recursos do médium e dos companheiros que o assistem, e fluidos C, constituindo energias tomadas à natureza terrestre. Os fluidos A podem ser os mais puros, e os fluidos C podem ser os mais dóceis; no entanto, os fluidos B, nascidos da atuação dos companheiros encarnados e, muito notadamente, do médium, são capazes de estragar-nos os mais nobres projetos. Nos círculos, aliás raríssimos, em que os elementos A encontram segura colaboração das energias B, a materialização de ordem elevada assume os mais altos característicos, raiando pela sublimidade dos fenômenos; contudo, onde predominam os elementos B, nosso concurso é consideravelmente reduzido, porquanto nossas maiores possibilidades passam a ser canalizadas na dependência das forças inferiores do nosso plano, que, afinadas aos potenciais dos irmãos encarnados, podem senhorear-lhes os recursos, invadindo-lhes o campo de ação e inclinando-lhes as experiências psíquicas no rumo de lastimáveis desastres.

As elucidações não poderiam ser mais claras.

28.8

Dispúnhamo-nos a prosseguir no entendimento; todavia, Garcez, um dos técnicos espirituais do serviço, veio até nós, invocando o auxílio magnético de Áulus.

O campo fluídico na sala se fizera demasiado espesso. Os pequenos jatos de força ectoplásmica, arremessados até lá, em caráter experimental, tornavam ao gabinete, revelando forte teor de toxinas de variada classificação.

As 14 pessoas assembleadas no recinto eram 14 caprichos diferentes.

Não havia ali ninguém com bastante compreensão do esforço que se reclamava do mundo espiritual e cada companheiro, em vez de ajudar o instrumento mediúnico, pesava sobre ele com inauditas exigências.

Em razão disso, o médium não contava com suficiente tranquilidade. Figurava-se-nos um animal raro, acicatado por múltiplos aguilhões, tais os pensamentos descabidos de que se via objeto.

— Não atingiremos, então, a materialização de ordem superior... — falou o assistente, algo preocupado.

— De modo algum — informou Garcez com desapontamento. — Teremos tão só o médium desdobrado, incorporando a nossa enfermeira para socorro às irmãs doentes. Nada mais. Não dispomos do concurso preciso.

Áulus atendeu à solicitação que lhe era dirigida e auxiliou magneticamente a transferência de certo coeficiente de energias do vaso físico ao corpo perispiritual que se mostrou vivamente reanimado.

O veículo de matéria densa, no leito, desceu à mais funda prostração, mas o médium, em seu perispírito, evidenciava maior vitalidade e maior lucidez.

28.9 Amigos espirituais envolveram-no em extenso roupão ectoplásmico e a enfermeira uniu-se a ele, comandando-lhe os movimentos.

O médium, não obstante ausente do corpo carnal, achava-se controlado pela benfeitora, à maneira de um médium psicofônico, diferenciado apenas pela roupagem singular, estruturada com apetrechos ectoplásmicos imprescindíveis à permanência dele no recinto, onde explodiam pensamentos perturbados e inquietantes.

Vendo-o caminhar, inseguro, abraçado pela enfermeira que o movimentava para o serviço assistencial, Hilário, ciciante, falou para o nosso orientador:

— O médium está consciente durante o fenômeno?

— Fora do corpo sim, mas, possivelmente, não guardará qualquer lembrança, logo regresse ao campo físico.

Meu colega ainda aventurou:

— Vemo-lo avançar com indumentos materializados e sob a orientação da enfermeira amiga. Entretanto, caso alimente, nessas condições, qualquer desejo menos digno, pode interferir no trabalho, prejudicando-o?

— Perfeitamente — disse Áulus —, ele está sob controle, mas controle não significa anulação. Qualquer impulso infeliz do nosso companheiro correrá por conta do serviço. Daí, a inconveniência das atividades dessa espécie, sem alto objetivo moral.

O medianeiro das curas, enlaçado pela entidade generosa, alcançou o estreito aposento, exibindo a roupagem delicada, semelhante a uma túnica de luar, emitindo prateada luz. No entanto, à medida que varava a atmosfera reinante no recinto, a claridade esmaecia, chegando a apagar-se quase de todo.

Diante do nosso olhar indagador, o assistente esclareceu:

— A posição neuropsíquica dos companheiros encarnados que nos compartilham a tarefa, no momento, não ajuda. Absorvem-nos os recursos, sem retribuição que nos indenize, de alguma sorte, a despesa de fluidos laboriosamente trabalhados.

A convite do orientador, penetramos a sala.

28.10

Efetivamente, escuras emissões mentais esguichavam contínuas, entrechocando-se de maneira lastimável.

Os amigos, ainda na carne, mais se nos figuravam crianças inconscientes.

Pensavam em termos indesejáveis, expressando petições absurdas, no aparente silêncio a que se acomodavam, irrequietos.

Exigiam a presença de afeições desencarnadas, sem cogitarem da oportunidade e do merecimento imprescindíveis, criticavam essa ou aquela particularidade do fenômeno ou prendiam a imaginação a problemas aviltantes da experiência vulgar.

O concurso dos amigos espirituais era ali recebido, não como gentileza de benfeitores, mas como espetáculo fútil a ser obrigatoriamente elaborado por servos ínfimos.

Ainda assim, os obreiros do nosso plano ofereciam o melhor pelo êxito da tarefa.

A enfermeira devotada socorreu as doentes, aplicando-lhes raios curativos. Várias vezes, deixou o recinto e tornou a ele, porquanto, à simples aproximação dos pensamentos inadequados que lhe senhoreavam as vibrações, toda a matéria ectoplásmica se ressentia, obscurecendo-se ao bombardeio das formações mentais nascidas da assistência.

Terminado que foi o trabalho medicamentoso, um risonho companheiro de nossa esfera tomou pequena porção das forças materializantes do médium sobre as mãos e afastou-se para trazer, daí a instantes, algumas flores que foram distribuídas com os irmãos encarnados, no intuito de sossegar-lhes a mente excitadiça.

Calmando-nos a curiosidade, Áulus esclareceu:

28.11 — É o transporte comum, realizado com reduzida cooperação das energias medianímicas. Nosso amigo — e designou com a destra o emissário das flores — apenas tomou diminuta quantidade de força ectoplásmica, formando somente pequeninas cristalizações superficiais do polegar e do indicador, em ambas as mãos, a fim de colher as flores e trazê-las até nós.

— É importante observar — disse Hilário — a facilidade com que a energia ectoplásmica atravessa a matéria densa, porque o nosso companheiro, usando-a nos dedos, não encontrou qualquer obstáculo na transposição da parede.

— Sim — comentou o instrutor —, o elemento sob nossa vista é extremamente sutil e, aderindo ao nosso modo de ser, adquire renovada feição dinâmica.

— E se fosse o médium o objeto do transporte? Traspassaria a barreira nas mesmas circunstâncias?

— Perfeitamente, desde que esteja mantido sob nosso controle, intimamente associado às nossas forças, porque dispomos entre nós de técnicos bastante competentes para desmaterializar os elementos físicos e reconstituí-los de imediato, cônscios da responsabilidade que assumem.

E sorrindo:

— Você não pode esquecer que as flores transpuseram o tapume de alvenaria, penetrando aqui com semelhante auxílio. De idêntica maneira, caso encontrássemos utilidade num lance dessa natureza, o instrumento que nos serve de base ao trabalho poderia ser removido para o exterior com a mesma facilidade. As cidadelas atômicas, em qualquer construção da forma física, não são fortalezas maciças, qual acontece em nossa própria esfera de ação. O espaço persiste em todas as formações e, através dele, os elementos se interpenetram. Chegará o dia em que a ciência dos homens poderá reintegrar as unidades e as constituições atômicas, com a segurança dentro da qual vai aprendendo a desintegrá-las.

Logo após, os amigos presentes, sempre interessados em acordar os irmãos encarnados para as realidades do espírito, acomodaram o médium, religando-o ao corpo carnal.

O rapaz esfregou o rosto, estremunhado; contudo, sob a atuação de passes calmantes, arrojou-se, de novo, à hipnose profunda.

Forças ectoplásmicas recomeçaram a surgir das narinas e dos ouvidos, revitalizadas e abundantes.

Alguns companheiros passaram a compartimento vizinho, seguidos por nós.

Nesse aposento, sobre pequeno fogão elétrico, grande balde de parafina fervente requisitava-nos a atenção.

Um amigo de semblante simpático cobriu a destra com a pasta dúctil que manava fartamente do médium e materializou-a com perfeição, mergulhando-a, logo após, na parafina superaquecida, deixando aos componentes da reunião o primoroso molde como lembrança.

Uma jovem que nos saudou, cordial, trabalhou igualmente o ectoplasma, modelando três flores que, submersas no vaso, ficaram, depois, em mesa próxima para os assistentes, à guisa de doce recordação daquela noite de tolerância e carinho.

Afeiçoados da casa trouxeram do exterior diversas conchas marinhas, em que se viam delicados perfumes que se volatizaram no recinto em vagas deliciosas.

Reparando que os tarefeiros espirituais submetiam o instrumento medianímico a complicadas operações magnéticas, pelas quais a substância materializante era restituída ao corpo físico, inteiramente purificada, crivamos o instrutor de questões e perguntas.

Realmente todas as pessoas, na Terra, possuíam consigo a energia que examinávamos? Seria lícito esperar no futuro mais amplas manifestações dela? Essa força era invariavelmente influenciável ou, em alguma circunstância, conseguia organizar-se por si?

8.13   Áulus deixou aos demais obreiros as medidas atinentes à fase terminal dos trabalhos e elucidou:

— O ectoplasma está situado entre a matéria densa e a matéria perispirítica, assim como um produto de emanações da alma pelo filtro do corpo, e é recurso peculiar não somente ao homem, mas a todas as formas da natureza. Em certas organizações fisiológicas especiais da raça humana, comparece em maiores proporções e em relativa madureza para a manifestação necessária aos efeitos físicos que analisamos. É um elemento amorfo, mas de grande potência e vitalidade. Pode ser comparado a genuína massa protoplásmica, sendo extremamente sensível, animado de princípios criativos que funcionam como condutores de eletricidade e magnetismo, mas que se subordinam, invariavelmente, ao pensamento e à vontade do médium que os exterioriza ou dos Espíritos desencarnados ou não que sintonizam com a mente mediúnica, senhoreando-lhe o modo de ser. Infinitamente plástico, dá forma parcial ou total às entidades que se fazem visíveis aos olhos dos companheiros terrestres ou diante da objetiva fotográfica, dá consistência aos fios, bastonetes e outros tipos de formações, visíveis ou invisíveis nos fenômenos de levitação, e substancializa as imagens criadas pela imaginação do médium ou dos companheiros que o assistem mentalmente afinados com ele. Exige-nos, pois, muito cuidado para não sofrer o domínio de Inteligências sombrias, uma vez que manejado por entidades ainda cativas de paixões deprimentes poderia gerar clamorosas perturbações.

E, apontando o mediador que despertava sonolento, enunciou:

— Nosso amigo, polarizando as energias do nosso plano, funciona como entidade maternal, de cujas possibilidades criativas os Espíritos materializados totalmente, ou não, retiram os recursos imprescindíveis às suas manifestações, sendo, a prazo curtíssimo, autênticos filhos dele.

Assinalando a conceituação, Hilário falou entusiástico:

— Isso dá a entender que nas forças geradoras extravasadas 28.14
do médium e dos cooperadores de nossa esfera poderemos surpreender igualmente os princípios fundamentais da genética humana, em figurações que a ciência terrena ainda não conhece...
— Sim, sem dúvida — confirmou o assistente —, os princípios são os mesmos, embora os aspectos sejam diferentes. O futuro nos reserva admiráveis realizações nesse ponto. Trabalhemos e estudemos.
Nossas disponibilidades de tempo, contudo, haviam terminado. E, por isso, Áulus encerrou a notável conversação, convidando-nos a voltar.

29
Anotações em serviço

29.1 De retorno ao lar de Áulus, ocorreu-me auscultar-lhe a opinião a respeito de diversos problemas, sempre vivos ao redor de quantos se dedicam ao estudo de questões mediúnicas na atualidade terrestre.

Em companhia do orientador, havíamos tocado de relance, mas seguramente, palpitante material, que nos facultara excelente curso educativo.

Examináramos, de perto, entre encarnados e desencarnados, a assimilação de correntes mentais, a psicofonia, a possessão, o desdobramento, a clarividência, a clariaudiência, as forças curativas, a telepatia, a psicometria e a materialização, além de alguns dos temas de importância central da mediunidade, como sejam o poder da prece, a fixação mental, a emersão do subconsciente, a licantropia, a obsessão, a fascinação, a lei de causa e efeito, o desdobramento no leito de morte e as energias viciadas, tudo isso sem necessidade de recurso a complicações terminológicas.

29.2 Não obstante nosso respeito à ciência humana, indagávamos intimamente por que motivo tanto embaraço verbalístico em sucessos comuns a todos, quando a simplificação seria bem mais interessante. Os metapsiquistas chamavam "criptestesia" à sensibilidade oculta, críptica, e batizaram o conhecimento de fatos sem o concurso dos sentidos carnais com a palavra "metagnomia". Dividiam os médiuns (*sujets*, na terminologia de alguns investigadores) em duas categorias, os de "faculdades psicológicas inabituais" e os de "faculdades mecânico-físico-químicas"... E por aí afora...

Por que não aplainar tais dificuldades de expressão? Afinal — refletia eu —, a mediunidade, na essência, consulta o interesse da humanidade inteira.

Acalentava tais pensamentos, quando Áulus, observando-me, por certo, a crítica meditada, considerou:

— A mediunidade, indubitavelmente, é patrimônio comum a todos; entretanto, cada homem e cada grupo de homens no mundo registram-lhe a evidência a seu modo. De nossa parte, é possível abordá-la com a simplicidade evangélica, baseados nos ensinamentos claros do Mestre, que esteve em contato incessante com as potências invisíveis ao homem vulgar, curando obsidiados, levantando enfermos, conversando com os grandes instrutores materializados no Tabor, ouvindo os mensageiros celestiais em Getsêmani e voltando Ele próprio a comunicar-se com os discípulos, depois da morte na cruz; entretanto, a ciência terrestre, por agora, não pode analisá-la sem o rigor da experimentação.

O assistente fez ligeira pausa e prosseguiu:

— Não importa que os aspectos da verdade recebam vários nomes, conforme a índole dos estudiosos. Vale a sinceridade com que nos devotamos ao bem. O laborioso esforço da Ciência é tão sagrado quanto o heroísmo da fé. A inteligência, com a balança e com a retorta, também vive para servir ao Senhor. Esmerilhando os fenômenos mediúnicos e catalogando-os, chegará ao registro das vibrações psíquicas, garantindo a dignidade da Religião na Era Nova.

29.3 Não desejava, porém, situar a conversação nos domínios científicos. Nosso aprendizado atingia o marco final. Aquela era a última noite em que podíamos desfrutar a sábia companhia do orientador e propunha-me ouvi-lo quanto à mediunidade em si. Por essa razão, provoquei o diálogo que passarei a desdobrar.

— É justo que a Ciência não examine o campo mediúnico por nosso prisma — aleguei. — A lógica e a experimentação positiva caminham por estradas muito diferentes daquelas que conhecemos no itinerário da intuição. No entanto, nas próprias correntes do Espiritualismo, vemos a mediunidade atormentada pelas mais diversas interpretações...

— Que pretende você dizer, André? — falou o instrutor, com brandura.

— Lembro-me daqueles irmãos que acoimam os médiuns de insanos e loucos, aconselhando a segregação dos estudantes da verdade em templos de iniciação, a deliberada distância dos sofredores e dos ignorantes que contamos no mundo por legiões inumeráveis...

— Ah! sim, o santuário de iniciação religiosa, qualquer que ele seja, é para nós venerável como posto avançado de distribuição da luz espiritual; entretanto, os que fogem dentro dele à lei da cooperação isolam-se na torre de marfim do orgulho que lhes é próprio, fixando-se em discussões brilhantes e estéreis. Tais companheiros assemelham-se a viajantes agrupados em perigosa ilha de repouso, enquanto os nautas corajosos do bem suam e sofrem na descoberta de rotas seguras para o continente da fraternidade e da paz. Descansam sob o arvoredo, confortados pela caça abundante e pela água refrescante, pesquisando a grandeza do céu ou filosofando sem proveito, mas sempre chega um dia em que a maré brava lhes invade o provisório domicílio, arrebatando-os ao mar alto, para que recomecem a experiência que lhes é necessária.

— Muitos estudiosos da nossa esfera de realização no mundo asseveram que será lícito cultivar tão somente o convívio com os gênios superiores da Espiritualidade, relegando as manifestações mediúnicas vulgares à fossa da obsessão e da enfermidade, que, na opinião deles, devem ser entregues a si mesmas, sem qualquer atenção de nossa parte.

29.4

— Isso é comodismo sob o rótulo de cultura. Não podemos negar que a obsessão seja moléstia da mente; contudo, poderá a Medicina curar alguém à força de usar o esquecimento do dever que lhe cabe? Os gênios realmente superiores da Espiritualidade jamais abandonam os sofredores e os pequeninos. À maneira do Sol que clareia o palácio e a furna, com o mesmo silencioso devotamento auxiliam a todos, em nome da Providência.

— Há companheiros no Espiritualismo que não suportam qualquer manifestação primitivista no terreno mediúnico. Se o médium não lhes corresponde à exigência, revelando-se em acanhado círculo de compreensão ou competência, afastam-se dele, agastadiços, categorizando por fraude ou mistificação valiosas expressões da fenomenologia.

Áulus sorriu e comentou:

— Serão esses, provavelmente, os campeões do menor esforço. Ignoram que o sábio não dispensou a alfabetização no começo da existência e, decerto, amaldiçoam a criancinha que não saiba ler. Semelhantes amigos, André, olvidaram o socorro que receberam da escola primária e, solicitando facilidades, à maneira do morfinômano que reclama entorpecentes, viciam-se em atitudes deploráveis à frente da vida, uma vez que tudo exigem para si, desrespeitando a obrigação de ajudar os que ainda se encontram na retaguarda.

29.5 — Há quem diga que o Espiritismo age erradamente, abrigando os desequilibrados e os enfermos, porque, com isso, oferece a impressão de uma Doutrina que, à força de ombrear com a loucura para socorrê-la, vai convertendo seus templos de oração em vastos refúgios de alienados mentais.

— Simples disparate dos que desertam do serviço ao próximo. A Medicina não sofre qualquer diminuição por prestar auxílio aos enfermos. Honrada pelos hospitais em que atua, engrandece-se à medida que se agiganta na obra assistencial aos doentes. O Espiritismo não pode responsabilizar-se pelos desequilíbrios que lhe pedem amparo, tanto quanto não podemos imputar ao médico a autoria dos males que lhe requisitam a intervenção. Aliás, temos nele o benfeitor da mediunidade torturada e da mente doentia, propiciando-lhes o bálsamo e o esclarecimento indispensáveis ao reajuste. É muito fácil inventar teorias que nos exonerem do dever de servir, e muito difícil aplicar os princípios superiores que esposamos, utilizando-nos, para isso, de nossa cabeça e de nossas próprias mãos. Se a recuperação do mundo e de nós mesmos estivesse circunscrita a lindas palavras, o Cristo, que nos constitui o padrão de todos os dias, não precisaria ter vindo ao encontro dos necessitados da Terra. Bastaria enviasse proclamações angélicas à humanidade, sem padecer-lhe, de perto, a incompreensão e os problemas. Felizmente, porém, os espiritualistas conscientes e sensatos estão aprendendo que o nosso escopo é reviver o Evangelho em suas bases simples e puras e que o Senhor não nos concede o tesouro da fé apenas para que possamos crer e falar, mas também para que estejamos habilitados a estender o bem começando de nós mesmos.

— Há igualmente quem afirme que em todos os processos da obsessão funciona, implacável, a lei de causa e efeito, e que, por isso, não vale interferir em favor da mediunidade atormentada...

— Mera argumentação do egoísmo bem nutrido. Isso seria **29.6** o mesmo que abandonar os doentes, sob o pretexto de que são devedores perante a Lei. Todos lutamos por ressarcir compromissos do pretérito, compreendendo que não há dor sem justificação; e se sabemos que só o amor puro e o serviço incessante são capazes de garantir-nos a redenção, uns à frente dos outros, como desprezar o companheiro que sofre, em nome de princípios a cujo funcionamento estamos submetidos por nossa vez? Hoje, é o vizinho que amarga as consequências de certas ações efetuadas a distância, amanhã seremos nós a colher os resultados de gestos que nos desabonavam o passado e que agora nos afligem o presente. Se falece a cooperação entre as vítimas do espinheiro, decerto será muito mais longa e difícil para cada um a tarefa salvadora.

— Não faltam igualmente os que supõem não devamos atender a qualquer problema de mediunidade complexa, porque, dizem eles, cada criatura deve procurar a verdade por si. Admitem que as religiões não passam de muletas e que a ninguém assiste a faculdade de socorrer-se de instrutores em assuntos da própria orientação.

Áulus esboçou um gesto de bom humor e redarguiu:

— Isso seria suprimir a escola e vilipendiar o amor imanente na Criação inteira. A Religião digna, qualquer que seja o templo em que se expresse, é um santuário de educação da alma, em seu gradativo desenvolvimento para a imortalidade. Imaginemos um país imenso, em que milhões de crianças fossem relegadas ao abandono pelos pais e mestres, sob a alegação de que lhes cabe o dever de procurar a virtude e a sabedoria por si, furtando-se-lhes toda espécie de apoio moral e cultural... Imaginemos um campo enorme superlotado de enfermos, aos quais eminentes médicos recomendassem procurar a saúde por si mesmos, confiando-os à própria sorte... Onde estaria a lógica de semelhantes medidas? A interdependência mora na base de todos os fenômenos da vida.

O forte é tutor do fraco. O sábio responsabilizar-se-á pelo ignorante. A criancinha na Terra não prescinde do concurso dos pais.

29.7 O instrutor fez ligeiro intervalo e prosseguiu:

— É preciso considerar que nem todos possuem idêntica idade espiritual e que a humanidade terrestre, em sua feição de conjunto, ainda se encontra tão longe da angelitude quanto a agressiva animalidade ainda está distante da razão perfeitamente humana. É muito cedo para que o homem se arrogue o direito de apelar para a Verdade Total... Por agora, é imprescindível trabalhe intensivamente, com devoção ardente e profunda ao bem, para atingir mais amplo discernimento das realidades fragmentárias ou provisórias que o cercam na vida física e, considerada a questão nesse aspecto, estejamos convictos de que a ausência de escolas do espírito ou a supressão dos instrutores constituiriam a multiplicação dos hospícios e o rebaixamento do nível moral, porque sem o apelo à dignificação da individualidade, em processo de crescimento mental e de sublimação no tempo, não poderíamos contar senão com a estagnação nas linhas inferiores da experiência.

Havíamos, contudo, atingido o fim da viagem.

O lar-santuário em que o assistente residia levantava-se, agora, ao nosso olhar.

— Trabalhemos com bom ânimo — disse-nos ainda o orientador —; o tempo conjugado com o serviço no bem é o alicerce de nossa vitória.

No dia imediato, Áulus deveria partir no rumo de elevada missão a distância. Por isso, prometeu-nos o abraço de adeus para a manhã seguinte.

30
Últimas páginas

30.1 Acompanhávamos o assistente, refletindo agora em nossa separação...

Achávamo-nos, Hilário e eu, preocupados e comovidos.

Ante o Sol renascente, o campo terrestre brilhava em plena manhã clara.

Mudos e expectantes, renteamos com um homem do campo manobrando a enxada na defesa do solo.

Áulus apontou-o com a destra e rompeu o silêncio, murmurando:

— Vejam! A mediunidade como instrumentação da vida surge em toda a parte. O lavrador é o médium da colheita, a planta é o médium da frutificação e a flor é o médium do perfume. Em todos os lugares, damos e recebemos, filtrando os recursos que nos cercam e moldando-lhes a manifestação, segundo as nossas possibilidades.

Avançávamos e, em breves momentos, víamo-nos defrontados por singela oficina de carpinteiro.

Nosso orientador indicou o operário que aplainava enorme peça e observou: **30.2**

— Possuímos no artífice o médium de preciosas utilidades. Da devoção com que se consagra ao trabalho, nasce elevada percentagem de reconforto à civilização.

Não longe, surpreendemos pequena marmoraria, à porta da qual um jovem envergava o escopro, ferindo a pedra.

— Eis o escultor — disse Áulus —, o médium da obra-prima. A Arte é a mediunidade do belo, em cujas realizações encontramos as sublimes visões do futuro que nos é reservado.

O assistente prosseguiu enunciando importantes considerações sobre o assunto, quando passamos por alguns empregados da higiene pública, removendo o lixo de extensa praça.

— Aqui temos os varredores — disse com respeitoso acento —, valiosos médiuns da limpeza.

Logo após, contornamos um edifício em que funcionava um tribunal de justiça e nosso instrutor adiantou:

— Vemos aqui o fórum onde o juiz é o médium das leis. Todos os homens em suas atividades, profissões e associações são instrumentos das forças a que se devotam. Produzem, de conformidade com os ideais superiores ou inferiores em que se inspiram, atraindo os elementos invisíveis que os rodeiam, conforme a natureza dos sentimentos e ideias de que se nutrem.

Atingíramos, no entanto, o lar em que Hilário e eu nos dedicaríamos ao socorro de uma criança doente.

Nesse ponto da excursão, o orientador, esperado a distância, separar-se-ia de nós, por fim.

Áulus seguiu-nos paternal.

Na intimidade doméstica, um cavalheiro maduro e a esposa tomavam café em companhia de três petizes.

Ladeando a mesa limpa e sóbria, descansava em larga poltrona o menino abatido e pálido que nos recolheria o esforço assistencial.

30.3   O instrutor fixou os olhos no quadro expressivo que nos tomava a atenção e exclamou:

— A família consanguínea é uma reunião de almas em processo de evolução, reajuste, aperfeiçoamento ou santificação. O homem e a mulher, abraçando o matrimônio por escola de amor e trabalho, honrando o vínculo dos compromissos que assumem perante a Harmonia universal, nele se transformam em médiuns da própria vida, responsabilizando-se pela materialização, a longo prazo, dos amigos e dos adversários de ontem, convertidos no santuário doméstico em filhos e irmãos. A paternidade e a maternidade, dignamente vividas no mundo, constituem sacerdócio dos mais altos para o Espírito reencarnado na Terra, pois, por meio delas, a regeneração e o progresso se efetuam com segurança e clareza. Além do lar, será difícil identificar uma região onde a mediunidade seja mais espontânea e mais pura, uma vez que, na posição de pai e de mãe, o homem e a mulher, realmente credores desses títulos, aprendem a buscar a sublimação de si mesmos na renúncia em favor das almas que, por intermédio deles, se manifestam na condição de filhos.

E, num sopro de bela inspiração, concluiu:

— A família física pode ser comparada a uma reunião de serviço espiritual no espaço e no tempo, cinzelando corações para a imortalidade.

Em seguida, o assistente leu o mostrador de um relógio e observou:

— Quem caminha com a responsabilidade não deve esquecer as horas.

Retirou-se precípite, e seguimo-lo até a praça próxima.

Áulus fixou o céu azul em que o Sol como que se desfazia em chuva de ouro quintessenciado, e dispunha-se a enlaçar-nos, quando me percebeu o propósito mais íntimo, falando com humildade:

— Faça a prece por nós, André!   **30.4**
Reverente, pedi em voz alta:
— *Senhor Jesus!*
"Faze-nos dignos daqueles que espalham a verdade e o amor!
"Acrescenta os tesouros da sabedoria nas almas que se engrandecem no amparo aos semelhantes.
"Ajuda aos que se despreocupam de si mesmos, distribuindo em Teu Nome a esperança e a paz...
"Ensina-nos a honrar-te os discípulos fiéis com o respeito e o carinho que lhes devemos.
"Extirpa do campo de nossas almas a erva daninha da indisciplina e do orgulho, para que a simplicidade nos favoreça a renovação.
"Não nos deixes confiados à própria cegueira e guia-nos o passo no rumo daqueles companheiros que se elevam, humilhando-se, e que por serem nobres e grandes, diante de ti, não se sentem diminuídos, fazendo-se pequeninos, a fim de auxiliar-nos...
"Glorifica-os, Senhor, coroando-lhes a fronte com os teus lauréis de luz!..."

O orientador devia saber que ele próprio personificava para nós os benfeitores a cuja grandeza nos reportávamos; entretanto, não ousei pronunciar-lhe o nome, tal a veneração que nos merecia.

Terminada a oração, fitei-o de olhos úmidos.

Áulus não disse uma palavra.

Revestido de radiações luminescentes, dando-nos a entender que se despedia de nós igualmente em prece, recolheu-nos num só abraço e partiu...

À maneira de crianças, Hilário e eu, em pranto mudo de reconhecimento, contemplamo-lo, até que se lhe apagou o vulto ao longe.

30.5 Lembramo-nos, então, do trabalho que nos aguardava e, louvando o serviço que em toda a parte é a nossa bênção, passamos a socorrer a criança enferma, como quem se incorporava ao grande futuro...

Índice geral[19]

A

Aborto
  desequilíbrio do centro
    genésico – 10.5
  influência do obsessor – 10.4

Água fluidificada
  equilíbrio psicofísico – 12.1
  medicação – 12.2

Albério, instrutor
  Ministério das Comunicações – 1.3
  palestra sobre mediunidade – 1.3

Alcoolismo
  obsessão – 15.1
  vampirismo – 15.2

Algaravia
  significado da palavra – 23.3, nota

Alienação mental
  sintonia e processo – 19.8

Alma
  estremeções coreiformes e
    desequilíbrio – 24.3
  família consanguínea – 30.3
  hálito mental – 1.4
  Jesus, Redentor da * humana – 18.5

  mediunidade torturada e *
    comprometida – 13.4
  perdão e recomposição – 22.2
  psicoscópio e auscultação – 2.2
  reflexo da beleza do Cristo – 13.5
  reflexos no espelho da própria – 13.4
  religião, santuário de educação – 29.6
  sentidos fisiológicos – 12.4
  vida corpórea e irradiações – 10.5

Ambrosina, médium
  foragidos da justiça terrestre – 16.3
  Gabriel, mentor – 16.4, 16.8
  mandato mediúnico – 16.2
  mediunidade – 16.2
  psicografia – 16.8, 18.1

Américo
  desdobramento – 24.4
  estremeções coreiformes – 24.1, 24.4
  filho de Júlio – 24.5
  histeria – 24.7

Amnésia
  obsessão – 4.5
  sugestão pós-hipnótica – 4.5

Amor
  asas da sabedoria – 13.8
  ódio – 20.7
  renúncia e verdadeiro – 14.4

---

[19] N.E.: Remete à numeração presente à margem das páginas.

Índice geral

sexo – 20.6

Anésia
desdobramento – 20.4
filha de Elisa – 20.2
Jovino, esposo – 19.1, 19.4
Márcia, filha – 19.4, 20.2
Marcina, filha – 19.4, 20.2
Marta, filha – 19.4
Olímpio, irmão – 21.3
pensamentos de revolta e
    amargura – 19.7
perdão incondicional – 19.7
poder da oração – 19.5
Teonília e intercessão – 19.1

Animismo
Espiritismo – 22.4
médium – 22.3-22.5

Antipatia
fraternidade, solução para
    o problema – 19.8

Araújo, Anélio, médium
núcleo de estudos – 3.2

Arte
conceito – 30.2
educação e * no mundo
    espiritual – 11.5

Ataque epiléptico
Pedro, enfermo – 9.2, 9.3
transe mediúnico de baixo teor – 9.4

Áulus, assistente
Allan Kardec – 1.2
Balzac – 1.2
Cahagnet – 1.2
cristalização mental – 22.3
curso rápido de ciências
    mediúnicas – 1.1
mediunidade – 1.1
Mesmer, magnetizador – 1.2
Théophile Gautier – 1.2

Victor Hugo – 1.2

Aura
recursos magnéticos – 17.4

B

Balzac
Áulus – 1.2

Bem
cautela com as sementeiras – 3.8

Benício
filho de Júlio – 24.6

Bondade
plantação da * constante – 13.6

C

Cachoeira
analogia entre a mediunidade – 15.9

Cahagnet
Áulus – 1.2

Casamento
excursão no jardim da carne – 20.6

Cássio, guardião
superioridade moral – 27.1

Castro, Antônio, sonâmbulo
Castro-Espírito – 11.2
comunicação de Oliveira – 11.8
cordão vaporoso – 11.2
desdobramento em serviço – 11.9
duplicata do médium – 11.1
efeitos da prece – 11.6
excursão de serviço – 11.6
forças ectoplásmicas – 11.3
núcleo de estudos – 3.1
passes de longo circuito – 11.1
perispírito – 11.2
refazimento – 11.8

Índice geral

Rodrigo, vigilante – 11. 6
Sérgio, vigilante – 11.6
treinamento de * para prestação
   de serviço – 11.7

Celina, médium
Abelardo Martins, esposo
   desencarnado – 14.1
afastamento do corpo físico – 8.4
Celina-alma – 8.5
disciplina – 3.7
exame junto do campo
   encefálico – 3.4
fenômenos psíquicos – cap.3.2
ficha psicoscópica – 3.3
fluidos teledinâmicos – 13.1
José Maria, Espírito – 8.2-8.8
lembrança das palavra de
   José Maria – 8.7
psicofonia – 8.6
sonâmbula perfeita – 8.6
visão dos pensamentos de
   Clementino – 12.8
visita do esposo desencarnado – 12.7

Centro Espírita
Anélio Araújo, médium – 3.2
Antônio Castro, sonâmbulo – 3.2
Celina, médium – 3.2
cordão luminoso de
   isolamento – 16.2
entrada de José Maria,
   Espírito – 8.5, 8.8
Espíritos ligados à Humanidade
   terrestre – 16.5
Eugênia, médium – 3.1
faixas de defesa magnética – 16.2
núcleo de estudos – 2.5

Oliveira, desencarnado
abnegado trabalhador – 11.8
Raul Silva – 3.1

Centro genésico
aborto e desequilíbrio – 10.5

Cérebro
órgão de manifestação
   da mente – 3.4
sons, imagens – 12.3
teclado de eletroímãs – 5.5

Céu
edificação – 1.6

Ciência
educação e * no Mundo
   Espiritual – 11.5

Clara, médium
serviço de passes – 17.1

Clarêncio, ministro
André Luiz – 1.1

Clariaudiência
Antônio Castro, sonâmbulo – 12.6
Celina, médium – 12.6
Eugênia, médium – 12.6
inconveniência da * demasiado
   aberta – 12.2
localização – 12.3
origem dos fenômenos – 12.8
técnicas dos obsessores – 12.9

Clarividência
Antônio Castro, sonâmbulo – 12.6
Celina, médium – 12.6
Eugênia, médium – 12.6
inconveniência da * demasiado
   aberta – 12.2
localização – 12.3
origem dos fenômenos – 12.8
técnicas dos obsessores – 12.9

Clementino
Celina, Eugênia e visão do
   pensamento – 12.8
comunhão entre Raul Silva – 5.5
dirigente espiritual – 5.1
graduação do pensamento – 5.3
Raul Silva e influência – 5.1

Índice geral

Colédoco
significado da palavra – 17.8, nota

Cólera
icterícia – 17.9

Concentração mental
concepções artísticas – 11.5

Condensador ectoplásmico
considerações – 7.4, 7.6

Conrado, orientador espiritual
serviço de passes – 17.2

Consciência
evolução – 1.4
recuperação da harmonia – 13.5
repouso da * depois da morte – 25.4
responsabilidade – 13.4
retrato da * de Jesus – 13.8

Corpo astral *ver* perispírito

Corpo físico
Espírito encarnado e orientação – 11.7

Corpo perispiritual *ver* perispírito

Criação mental
origem – 5.6

Criptestesia pragmática
conceito – 29.2
metapsiquista – 29.2
psicometria – 29.1

Cristalização mental
assistente Áulus – 22.3

Cristianismo
superficialismo dos templos – 18.5

Cristo *ver também* Jesus
alma e reflexo da beleza – 13.5

Culto religioso
valor do * respeitável – 4.3

Cura
Pedro e necessidade – 9.5
processos – 15.3

Curial
significado do termo – 12.4, nota

Curso educativo
psicometria – 29.1

D

Delirium tremens
Olímpio – 21.3
significado da expressão – 21.3, nota

Desenvolver
significado da palavra – 9.5

Deus
mente – 1.3

Doença
desequilíbrio moral – 4.4
pensamentos – 4.4
perispírito – 4.4

Dor
ministro da Justiça Divina – 27.4

Doutrina Espírita *ver também* Espiritismo
controle da energia medianímica – 15.4

Duplo etérico
características – 11.2

E

Ectoplasma
considerações – 28.13
fluidos A – 28.7

Índice geral

fluidos B – 28.7
fluidos C – 28.7
pensamento do médium – 28.4
trabalhos de materialização
 – 28.4, 28.7

Elisa
 avó de Márcia – 20.2
 desencarnação – 20.10, 21.7
 evocação de Olímpio – 21.3
 fenômeno de monição – 203, nota
 incorporação mediúnica – 21.4
 mãe de Anésia – 20.2
 Matilde, irmã – 21.7
 Olímpio, filho – 21.3
 perturbação mental – 21.1

Encéfalo
 estação emissora e receptora – 5.5

Energia elétrica
 energia mental – 5.3

Ensancha
 significado da palavra – 46, nota

Entidade vampirizante
 expositores – 4.3
 sono provocado – 4.3

Epífise
 considerações – 3.5, nota

Era do Espírito
 homem terreno – 1.1

Escândalo
 ruína da felicidade – 20.8

Escola do Espírito
 ausência – 29.7

Espectroscópio
 finalidade – 2.3

Espelho fluídico
 considerações – 16.8, 16.11

exame do perispírito – 16.12

Espírita
 intervenção do Além-Túmulo – 13.5
 médico – 15.8

Espiritismo *ver também*
 Doutrina Espírita
 alienados mentais – 29.5
 altar vivo no templo da fé – 18.8
 analogia entre a usina – 15.9
 animismo – 22.4
 dignificação – 27.5
 importância – 29.1
 mediunidade – 15.9
 mistificação – 22.4
 solução dos enigmas – 18.7

Espírito
 concentração mental – 11.5
 Pedro, * endividado – 9.5

Espírito encarnado
 orientação fora do corpo físico – 11.7

Espírito Superior
 condição para serviço – 27.5

Estrela
 lago e imagem – 1.7

Estremeção coreiforme
 Américo – 24.1, 24.4
 desequilíbrio da alma – 24.3
 significado da expressão – 24.1, nota

Eugênia, médium
 afastamento da * do corpo – 6.4
 dúvidas – 6.7
 enxertia neuropsíquica – 6.3
 Eugênia-alma – 6.2
 justaposição de obsessor – 6.1
 Libório dos Santos, obsessor – 6.6
 núcleo de estudos – 3.1
 palavras do obsessor – 6.4
 psicofonia consciente – 6.3

Índice geral

visão dos pensamentos de
Clementino – 12.8

Expositor
entidades vampirizantes – 4.3

F

Família
reunião de almas e *
consanguínea – 30.3

Fascinação
fenômeno alucinatório – 23.6
hipnotizador desencardo – 23.2

Fé
extensão do bem – 29.5
santuários religiosos e
princípios – 15.2
títulos – 13.5

Fenômeno de monição
significado da palavra – 21.7, nota

Fenômeno mediúnico
forma de mobilização – 18.5
influência da vontade – 3.6
influência do pensamento – 3.6
mente, base – 1.3
mentes ociosas – 27.5
situações da vida – 5.7

Fixação mental
lição – 25.1

Fluidos A
ectoplasma – 28.7

Fluidos B
ectoplasma – 28.7

Fluidos C
ectoplasma – 28.7

Força ectoplásmica
Antônio Castro, sonâmbulo – 11.3
densidade – 11.3

Forrar-se
significado da expressão – 18.4, nota

Fotônio
estudos – 3.3

Fraternidade
remédio para antipatia – 19.8

G

Gabriel, mentor
Ambrosina, médium – 16.4, 16.9

Garcez, técnico espiritual
materialização de ordem
superior – 28.8

Gautier, Théophile
Áulus – 1.2

Guilherme
filho de Júlio – 24.6

H

Hálito mental
alma – 1.4

Halo vital *ver* aura

Harmonia
consciência e recuperação – 13.5

Henrique, médium
serviço de passes – 17.1

Hilário
curso rápido de ciências
mediúnicas – 1.1

Hipnotizador
abuso da fonte de energia – 17.5

Índice geral

força magnética, elemento
    moral – 17.5
obsessão e * espiritual – 17.5

Homem
    entidades bajuladoras e
    * vulgar – 27.5
    receptor de reduzida
    capacidade – 12.5

Hospital de emergência
    Abelardo Martins – 14.5
    Justino, diretor – 14.6
    Libório dos Santos – 14.6

Hotentote
    intercâmbio entre sábio – 3.1
    significado da palavra – 1.5, nota

Hugo, Victor
    Áulus – 1.2

Humanidade terrestre
    formação – 1.4

I

Ideia
    pensamento, vontade – 1.5

Ignorância
    estudo, observação – 13.8

Imortalidade
    convicção – 13.6

Inferno
    edificação – 1.6

Inteligência emissora
    pensamento – 1.5

Inteligência receptiva
    pensamento – 1.5

J

Jesus *ver também* Cristo
    convite ao aperfeiçoamento
    individual – 18.7
    Lázaro – 18.3
    Maria de Magdala – 18.3
    mediunidade – 18.5, 29.2
    mensageiros humanos e reino – 13.6
    Paulo de Tarso – 18.3
    Redentor da alma humana – 18.5
    retrato da consciência – 13.8
    Zaqueu – 18.3

Jovino, obsidiado
    Anésia, esposa – 19.1. 19.4
    dominação telepática – 19.7
    Márcia, filha – 19.4
    Marcina, filha – 19.4
    Marta, filha – 19.4
    oração – 19.5

Júlio
    história – 24.5
    pai de Américo – 24.5
    pai de Benício – 24.6
    pai de Guilherme – 24.6
    pai de Laura – 24.6
    pai de Márcio – 24.6

Justino
    diretor do hospital de
    emergência – 14.6

K

Kardec, Allan
    Áulus – 1.2

L

Lar
    fatos mediúnicos – 24.7
    influência dos obsessores – 24.7

mediunidade espontânea
  e pura – 30.3
serviço de regeneração – 20.6

Laura
  filha de Júlio – 24.6

Lázaro
  Jesus – 18.3

Licantropia
  significado da palavra – 23.2, nota

Luiz, André
  curso rápido de ciências
    mediúnicas – 11.1
  exame do campo encefálico
    de Celina – 3.4
  ministro Clarêncio – 1.1
  oração – 30.4
  utilização do psicoscópio – 5.1

M

Mal
  esquecimento – 22.2, 22.6
  remoção – 22.5

Mandato mediúnico
  Ambrosina, médium – 16.2
  crédito moral – 16.11
  trabalho da fraternidade
    e da luz – 16.10

Márcia
  filha de Anésia e Jovino – 19.4, 20.2
  neta de Elisa – 20.2
  oração – 20.2

Marcina
  filha de Anésia e Jovino – 19.4

Márcio
  filho de Júlio – 24.6

Maria de Magdala
  Jesus – 18.3

Marta
  filha de Anésia e Jovino – 19.4

Maria, José, Espírito
  Celina, médium – 8.4
  considerações sobre – 8.5
  doutrinação de Raul Silva – 8.7
  entrada de * no Centro Espírita – 8.4
  fazendeiro desumano – 8.2
  remoção – 8.8
  vampiro inconsciente – 8.2

Marta
  filha de Anésia e Jovino – 19.4

Martins, Abelardo
  biografia – 14.3
  desencarnação – 14.2
  esposo desencarnado de
    Celina – 14.1
  hospital de emergência – 14.5
  trabalho de autorrecuperação – 14.3

Matéria
  psicoscópio e transfiguração – 2.7

Materialização
  câmara mediúnica – 28.3
  caráter, qualidades morais – 28.5
  citoplasma – 28.5
  condição para * perfeita – 28.4
  corpo físico, perispírito – 28.8
  desdobramento mediúnico – 28.3
  desmaterialização – 28.11
  ectoplasma – 28.4, 28.12, 28.13
  faculdades de * e privilégios – 28.5
  Garcez, técnico espiritual – 28.8
  influência do pensamento
    mediúnico – 28.4
  interferências mediúnicas
    indesejáveis – 28.6

Índice geral

Missionários da luz – 28.1,
  nota; 28.3, nota
Moisés e * no monte Tabor – 18.5
  objetivo moral – 28.9
  posição neuropsíquica dos
    encarnados – 28.9
  raios ectoplásmicos e
    *mediúnica – 2.7
  trabalho em parafina – 28.12
  trabalhos – 28.1
  transporte de flores – 28.10
Maternidade
  sacerdócio – 30.3
Matilde
  fenômeno de monição – 21.7, nota
  irmã de Elisa – 21.7
Matrimônio
  escola de amor e trabalho – 30.3
  serviço redentor e * terrestre – 14.4
Médium
  analogia entre tomada elétrica
    e * de cura – 17.4
  animismo – 22.4
  arquivo da memória e *
    analfabeto – 23.5
  círculo de percepção – 12.3
  digno da missão de auxílio – 16.10
  ectoplasma e pensamento – 28.4
  enfermeira materializada
    – 28.8, 28.10
  fraude, mistificação – 29.4
  materialização perfeita e
    desmaterialização – 28.4
  médico – 15.8
  mediunidade – 1.7
  metapsiquistas e categoria – 29.2
  passado sombrio – 10.9
  Pedro, * na acepção comum
    do termo – 9.5
  possibilidades neuropsíquicas – 12.3
  preguiça, personalismo,
    sexualidade – 16.10
  primeiro socorrista – 6.3
  privilégios – 15.4
  renovação da conceituação – 18.6
Médium falante *ver*
  Psicofonia consciente
Médium psicógrafo
  disciplina espiritualizante – 15.6
  jornalista – 15.6
  obsessor – 15.6
  propósitos escusos – 15.5
Mediunidade
  ajustamento à vida superior – 18.6
  almas comprometidas e *
    torturada – 13.4
  altar vivo no templo da fé – 18.8
  analogia entre a cachoeira – 15.9
  arte e * do belo – 30.2
  assistente Áulus – 1.1
  campo de ação – 2.1
  causas da obsessão na *
    torturada – 10.6
  conceito – 5.7
  criminosa exploração – 27.3
  diferentes tipos – 12.3
  Espiritismo – 15.9
  estudo – 2.8
  filtragem, sintonia – 12.3
  forças do Espírito – 15.4
  funções milagreiras – 18.7
  importância – 18.7
  instrumentação da vida – 274
  instrutor Albério e palestra – 1.3
  Jesus – 18.5, 29.2
  lar, * espontânea e pura – 30.3
  onda mental – 1.7
  Pedro e * de provação – 9.6
  pensamento – 13.2, 13;6
  profecia das religiões – 18.5
  psiquismo transviado – 27.4

Índice geral

sintonia – 1.6
sintonia no tempo – 23.6
solução dos enigmas – 18.7

Mediunidade atormentada
Lei de Causa e Efeito – 29.5

Mediunidade poliglota
forças do passado e do
  presente – 23.5
obsessor, sintonia – 23.5

Mediunidade sublimada
edificação – 16.10, 28.6

Mente
base de todo fenômeno
  mediúnico – 1.3, 1.6
cérebro, órgão de manifestação – 3.4
consequências dos reflexos – 1.7
Deus – 1.3
interesses inferiores do mundo – 4.3
núcleo de forças inteligentes – 1.4
perturbações congeniais – 25.6
ponto espiritual limitado – 12.5
psiquismo – 1.5
raios luminosos – 8.4
Terra e * humana – 13.7
visão, audição – 12.3

Mente Divina
Universo – 13.7

Mesmer, magnetizador
Áulus – 1.2

Metagnomia tátil
conceito – 29.2
metapsiquista – 29.2
psicometria – 29.1

Metapsiquista
categorias de médiuns – 29.2
criptestesia – 29.2
metagnomia – 29.2

Milagre
alavanca da vontade – 15.4
Leis da Natureza – 16.5

Ministério das Comunicações
instrutor Albério – 1.3

Missionários da Luz, livro
trabalhos de materialização
  – 28.1, nota

Mistificação
corretivo inoportuno – 22.5
Espiritismo – 22.4

Mnemônico
significado da palavra – 4.5, nota

Moisés
materialização no monte
  Tabor – 18.5

Morte
ciência de amar depois – 14.4
comunhão espiritual depois – 14.4
habilitação à * libertadora – 4.3
ilusão no julgamento – 4.4
intimação ao entendimento
  fraternal – 14.4
pensamentos – 25.2
repouso da consciência depois – 25.4

Mundo
campo de tensão
  eletromagnética – 1.4

Mundo Espiritual
abordagem ao * e harmonização
  preparatória – 2.5
riqueza da Arte – 11.5
riqueza da Ciência – 11.5

Mundo mental
espelho – 1.6

Índice geral

O

Obsessão
    enfermidade mental – 19.2, 29.4
    hipnotizador espiritual – 17.5
    reciprocidade – 23.2

Obsessor
    aborto e influência – 10.4
    aspecto físico – 10.2
    incursões no passado – 10.6
    influência do * no lar – 24.7
    médium, amplexo fluídico – 10.2
    parricídio – 10.6
    Raul Silva, doutrinação – 10.2

Ódio
    amor – 20.7

Olímpio
    delirium tremens – 21.3, nota
    Elisa e evocação – 21.3
    filho de Elisa – 21.3
    irmão de Anésia – 21.3
    vício da embriaguez – 21.3

Oliveira, Espírito
    abnegado trabalhador no
        Centro Espírita – 11.8
    comunicação – 11 8

Oração
    André Luiz – 30.4
    Anésia e poder – 19.5
    auxílio no resgate ou na
        ascensão – 20.9
    banho de forças – 17.3
    desencarnados e raio de ação – 20.3
    Raul Silva – 5.3, 7.3
    solução para os enigmas – 20.9

P

Palavra
    papel da * na construção
        do Espírito – 4.2

Paroxístico
    significado da palavra – 24.2, nota

Passe
    conceito – 17.9
    respeito, confiança – 17.9

Paternidade
    sacerdócio – 30.3

Paulo de Tarso
    Jesus – 18.3

Pedro, Espírito endividado
    aparência física – 9.2
    ataque epiléptico – 9.2, 9.4
    desenvolvimento psíquico – 9.5
    desprendimento do obsessor – 9.5
    epilepsia secundária – 9.8
    existência anterior, regiões
        inferiores – 9.4
    extinção dos acessos de
        possessão – 9.8
    funções sensoriais – 9.3
    incursões no passado – 9.7
    lesão em centros do perispírito – 9.4
    médium na acepção comum
        do termo – 9.5
    mediunidade de provação – 9.6
    modificação do tônus mental
        do obsessor – 9.8
    necessidade de cura – 9.5
    obsessor – 9.2, 9.7
    Pedro-Espírito – 9.3
    possessão completa – 9.3
    transe mediúnico de baixo teor – 9.4
    zonas purgatoriais, obsessor – 9.4

Índice geral

Pensamento
    campo cerebral – 5.6
    Celina, Eugênia e visão do *
      de Clementino – 12.8
    Clementino e graduação – 5.3
    correntes mentais – 15.8
    desenvolvimento do * depois
      da morte – 25.2
    doença – 4.4
    ectoplasma e * do médium – 28.4
    enriquecimento – 1.6
    escravização – 13.4
    exteriorização e projeção – 19.8
    ficha psicoscópica e natureza – 3.4
    força do * puro – 13.8
    formas – 13.7
    grau de frequência – 5.6
    ideia – 1.5
    influência do * mediúnico na
      materialização – 28.4
    mediunidade – 13.2, 13.6
    modelador da forma – 11.4
    ocultação da onda – 5.6
    órgãos em harmonia e *
      equilibrado – 10.5
    perispírito e comando – 11.4
    qualidades magnéticas – 5.4
    renovação – 17.9
    Universo, exteriorização
      do * divino – 1.3
    vigilância – 13.4

Pensamento Divino
    pensamento humano – 13.7

Perdão
    Anésia e * incondicional – 19.7
    recomposição da alma – 22.2

Perispírito
    constituição – 11.4
    doença – 4.4
    espelho fluídico e exame – 16.12
    exteriorização da sensibilidade – 11.3

    lesão em centros – 9.4
    pensamento, vontade e
      aspectos – 11.4
    revestimento – 11.2
    sofrimentos – 4.3
    trabalhos de materialização – 28.8

Planeta
    Leis do Equilíbrio – 1.4

Possessão
    Pedro e * completa – 9.3
    Pedro e extinção dos acessos – 9.8

Prece *ver* Oração

Progresso
    trabalho educativo – 11.5

Psicofonia
    Celina, Eugênia e controle – 8.7
    Celina, médium – 8.6
    Eugênia, médium, e *
      consciente – 6.3
    fenômeno de * consciente – 6.3
    possessão e * inconsciente – 8.7

Psicometria
    conceito – 26.1
    criptestesia pragmática – 26.9
    força mental – 26.3
    joias enfeitiçadas – 26.7
    mediador de relações espirituais –
      26.5
    mediunidade – 26.8
    metagnomia tátil – 26.9
    psicologia experimental – 26.1
    sensibilidade mediúnica – 26.6, 26.8
    telestesia – 26.9
    vibrações – 26.3, 26.5

Psicoscópio
    André Luiz e utilização – 5.1
    auscultação da alma – 2.2
    funcionamento – 2.2

Índice geral

transfiguração da matéria – 2.7
utilização – 2.5

Psiquismo
mente – 1.5

Q

Quintino
diretor de Centro Espírita – 27.1

R

Raimundo
entidade vampirizada – 27.6
Espírito comunicante – 27.2

Raios ectoplásmicos
materialização mediúnica – 2.7

Raios vitais *ver* Raios ectoplásmicos

Rebeldia
compreensão, bondade – 13.8

Reencarnação
dolorosa * e luta expiatória – 15.3
Espíritos ligados à Humanidade
terrestre – 16.5
violência e * compulsória – 25.5

Religião
muleta – 29.6
santuário de educação da alma – 29.6

Renovação mental
alicerces no bem – 15.4

Renúncia
verdadeiro amor – 14.4

Responsabilidade
consciência – 13.4

Reunião pública
encarnados e desencarnados – 4.2

Rodrigo, vigilante
Antônio Castro, sonâmbulo – 11.6

S

Sabedoria
asas do amor – 13.8

Santos, Libório dos
desencarnação – 7.6
escravidão mútua – 14.7
fascinação mútua – 14.7
hospital de emergência – 14.5
obsessor – 6.6
perseguição recíproca – 14.6
Raul Silva, doutrinador – 7.2
Sara, mãe – 7.2

Sara
desencarnação – 7.6
mãe de Libório dos Santos – 7.6

Sérgio, vigilante
Antônio Castro, sonâmbulo – 11.6

Serviço de passes
Clara, médium – 17.1
Conrado, orientador espiritual – 17.2
Henrique, médium – 17.2

Sexo
amor – 20.6

Silva, Raul
aparelho receptor – 5.5
comunhão entre Clementino – 5.5
diretor do núcleo de estudos – 3.1
doutrinação de José Maria,
Espírito – 8.7
graduação do pensamento
de Clementino – 5.3
influência de Clementino – 5.1
oração – 5.3, 7.3

Sintonia
mediunidade – 1.6

Índice geral

Soerguimento espiritual
    esforço – 13.8

Sofrimento
    alteração do panorama mental – 2.4
    perispírito – 4.3

Sol
    espelho e esplendor – 1.7

Sonambulismo
    Antônio Castro – 3.2
    Celina – 8.6
    mãos desavisadas e * puro – 8.7
    torturado – 10.1, 10.8

Sono
    entidades vampirizantes e
        * provocado – 4.3

T

Tabor
    Moisés e materialização
        no monte – 18.5

Tempo
    utilização do * em benefício
        do próximo – 5.7

Tentação
    impulsos irresistíveis – 5.7

Teonília
    intercessão por Anésia – 19.1

Teotônio
    entidade vampirizada – 27.6
    Espírito comunicante – 27.3

Terra
    extinção das nuvens infecciosas – 8.4
    formações fluídicas inquietantes – 8.4
    mente humana – 13.7

Túmulo
    banho revelador – 4.4

Transe mediúnico
    ataque epiléptico – 9.4
    Pedro e * de baixo teor – 9.3

Trato da Terra
    significado da expressão – 3.7, nota

U

Ugo, duque da Provença
    reminiscências do legionário – 23.4

Universo
    exteriorização do pensamento
        divino – 1.3, 13.7
    processos de reajuste – 15.3

Usina
    analogia entre o Espiritismo – 15.9

Urânio
    estudos – 3.3

V

Vaidade
    Espíritos ligados à humanidade
        terrestre – 16.5

Vampirismo
    prática – 13.6

Verdade
    temor e abominação – 15.2

Vibrações compensadas
    hotentote, sábio – 1.5

Vida
    princípios superiores – 15.8

Vida de sonho
    sentidos fisiológicos – 12.4

Vida nobre
    necessidade – 15.8

Índice geral

Vingança
  alma da magia negra – 20.7

Virtude
  exercício constante e * superior – 1.7

Vitória
  alicerce de nossa – 29.7

Volitação
  significado da palavra – 11.6, nota

Vontade
  alavanca da * e milagres – 15.4
  ideia – 1.5

X

Xenoglossia *ver* Mediunidade
  poliglota

Z

Zaqueu
  Jesus – 18.3

TABELA DE EDIÇÕES

EDIÇÃO	IMPRESSÃO	ANO	TIRAGEM	FORMATO
1	1	1955	15.000	12,5x17,5
2	1	1957	10.000	12,5x17,5
3	1	1960	10.000	12,5x17,5
4	1	1965	5.000	12,5x17,5
5	1	1969	5.000	12,5x17,5
6	1	1970	5.000	12,5x17,5
7	1	1972	10.000	12,5x17,5
8	1	1976	10.000	12,5x17,5
9	1	1979	10.200	12,5x17,5
10	1	1979	10.200	12,5x17,5
11	1	1982	10.200	12,5x17,5
12	1	1983	10.200	12,5x17,5
13	1	1984	10.200	12,5x17,5
14	1	1985	15.200	12,5x17,5
15	1	1986	15.200	12,5x17,5
16	1	1987	20.000	12,5x17,5
17	1	1988	25.000	12,5x17,5
18	1	1991	15.000	12,5x17,5
19	1	1991	9.000	12,5x17,5
20	1	1992	10.000	12,5x17,5
21	1	1993	15.000	12,5x17,5
22	1	1994	15.000	12,5x17,5
23	1	1995	20.000	12,5x17,5
24	1	1997	14.000	12,5x17,5
25	1	1998	10.000	12,5x17,5
26	1	1999	10.000	12,5x17,5
27	1	2000	10.000	12,5x17,5
28	1	2001	5.000	12,5x17,5
29	1	2002	10.000	12,5x17,5
30	1	2003	10.000	12,5x17,5
31	1	2004	10.000	12,5x17,5
32	1	2005	8.000	12,5x17,5
33	1	2006	5.000	12,5x17,5
34	1	2007	10.000	12,5x17,5

EDIÇÃO	IMPRESSÃO	ANO	TIRAGEM	FORMATO
34	2	2008	10.000	12,5x17,5
34	3	2009	10.000	12,5x17,5
34	4	2010	20.000	12,5x17,5
34	5	2011	10.000	12,5x17,5
35	1	2003	5.000	14x21
35	2	2008	1.000	14x21
35	3	2009	1.000	14x21
35	4	2010	2.000	14x21
35	5	2010	20.000	14x21
36	1	2014	4.000	14x21
36	2	2014	10.000	14x21
36	3	2015	8.000	14x21
36	4	2015	10.000	14x21
36	5	2017	5.200	14x21
36	6	2017	6.000	14x21
36	7	2017	5.000	14x21
36	8	2018	3.400	14x21
36	9	2018	5.000	14x21
36	10	2018	5.200	14x21
36	11	2019	3.400	14x21
36	12	2019	3.500	14x21
36	13	2020	8.500	14x21
36	14	2021	6.000	14x21
36	15	2022	8.500	14x21
36	16	2023	5.000	14x21
36	17	2024	7.000	14x21
36	18	2025	4.500	14x21

FEB editora
Livro espírita para um novo mundo
www.febeditora.com.br
@febeditoraoficial
@febeditora

Conselho Editorial:
Carlos Roberto Campetti
Cirne Ferreira de Araújo
Evandro Noleto Bezerra
Geraldo Campetti Sobrinho – Coord. Editorial
Jorge Godinho Barreto Nery – Presidente
Maria de Lourdes Pereira de Oliveira
Miriam Lúcia Herrera Masotti Dusi

Produção Editorial:
Elizabete de Jesus Moreira

Revisão:
Lígia Dib Carneiro
Perla Serafim

Capa:
Evelyn Yuri Furuta

Projeto Gráfico:
Rones José Silvano de Lima – instagram.com/bookebooks_designer

Diagramação:
Ingrid Saori Furuta

Foto de Capa:
http://www.dreamstime.com/ Harlanov
http://www.dreamstime.com/ Serp
http://www.istock.com/ rocksunderwater

Foto Chico Xavier:
Grupo Espírita Emmanuel (GEEM)

Normalização Técnica:
Biblioteca de Obras Raras e Documentos Patrimoniais do Livro

Esta edição foi impressa pela Gráfica e Editora Qualytá Ltda., Brasília, DF, com tiragem de 4,5 mil exemplares, todos em formato fechado de 140x210 mm e com mancha de 104x168 mm. Os papéis utilizados foram o Off white bulk 58 g/m² para o miolo e o Cartão 250 g/m² para a capa. O texto principal foi composto em fonte Adobe Garamond Pro 12/15 e os títulos em Adobe Garamond Pro 28/30. Impresso no Brasil. Presita en Brazilo.